SOMMAIRE

Avant d'aborder l'œuvre

La Morte amoureuse et autres contes fantastiques

Gautier

Pour approfondir

Petits Classiques
LAROUSSE

Collection fondée par Félix Guirand,
Agrégé des Lettres

La Morte amoureuse

et autres contes fantastiques

Théophile Gautier

Édition présentée,
annotée et commentée
par Marielle Macé,
ancienne élève de l'École normale supérieure,
agrégée de lettres modernes,
chercheur au C.N.R.S.

ISBN : 978-2-03-583910-7

AVANT D'ABORDER L'ŒUVRE

Fiche d'identité de l'auteur

Gautier

Nom : Théophile Gautier.

Naissance : 30 août 1811 à Tarbes, dans un milieu d'artisans et de fonctionnaires ; son père perdra ses biens lors de la révolution de Juillet et deviendra chef de bureau aux Octrois de Paris.

Jeunesse : lectures romanesques ; se lie avec Gérard Labrunie (Gérard de Nerval) ; entre dans l'atelier du peintre Rioult, mais abandonne la peinture au profit de la poésie.

Carrière : publie son premier recueil en 1829 ; Nerval lui présente Hugo ; participe à la bataille d'*Hernani* en 1830, vêtu par provocation d'un gilet rouge devenu fameux. Rejoint le groupe d'artistes du Petit Cénacle ; publie « La Cafetière » en 1831. La vie de bohème se mêle aux succès littéraires. *Mademoiselle de Maupin* paraît en 1835, *Émaux et Camées* en 1852 ; Baudelaire lui dédie *Les Fleurs du mal* en 1857 ; *Le Capitaine Fracasse* est très lu. Parallèlement, il entre en 1836 à *La Presse* et en 1855 au *Moniteur universel* ; le journalisme le fait vivre mais l'asservit.

Amours et voyages : s'éprend de femmes liées au milieu bohème, la fragile Cydalise, Victorine, Eugénie dont il a un fils. Puis rencontre la ballerine Carlotta Grisi, pour laquelle il écrit *Giselle*, a une liaison avec sa sœur Ernesta avec qui il a deux filles.
Les amours se superposent aux voyages. Après la Belgique avec Nerval (rapporté dans *La Chronique de Paris*, fondée par Balzac), découvre l'Espagne et l'Algérie (premier rêve oriental). À Londres, s'éprend de Marie Mattei qui le rejoindra en Italie ; retrouve Ernesta à Constantinople ; visite la Russie, puis l'Égypte dont il rêvait, mais un accident écourte le voyage.

Les épreuves : Nerval se pend en 1855 ; la compromission de Gautier avec l'Empire lui fait perdre des amis ; il essaie en vain d'être élu à l'Académie française et, antidémocrate, accepte mal les événements de la Commune.

Mort : le 23 octobre 1872, alors qu'il écrit l'*Histoire du romantisme* ; les poètes lui rendent hommage.

Pour ou contre Gautier

Pour

Charles BAUDELAIRE :

« Gautier, c'est l'amour exclusif du Beau, avec toutes ses subdivisions, exprimé dans le langage le mieux approprié ».

« Théophile Gautier », 1868.

Henry JAMES :

« Sa faculté de discrimination visuelle était extraordinaire. Son don d'observation était si pénétrant et ses intuitions descriptives si sûres qu'on aurait pu imaginer que la grave Nature, dans un accès de coquetterie, ou encore lasse de ne recevoir que la moitié de son dû, avait décidé de construire un génie dont les sens eussent été plus raffinés que ceux de la masse des humains ».

Théophile Gautier, *Œuvres poétiques complètes*, édition M. Brix, p. 854.

Contre

Émile ZOLA :

« Notez ce style correct et imagé, [...] cette façon égoïste de ramener une littérature à la pure expression plastique ».

Théophile Gautier, *Œuvres poétiques complètes*, édition M. Brix, p. 875.

SAINTE-BEUVE :

« C'est bien autre chose si de ses vers on passe à sa prose, à ses romans ; la forme y va encore plus indépendante du fond, encore plus exorbitante par rapport au sentiment ; et il résulte de cette lecture prolongée que l'*affecté* de l'ensemble reflète sur le *sincère* même et en compromet l'effet ».

Théophile Gautier, *Œuvres poétiques complètes*, édition M. Brix, p. 823.

Repères chronologiques

Vie et œuvre de Théophile Gautier

1811
Naissance de Théophile Gautier. Études au collège Louis-le-Grand, puis au collège Charlemagne.

1829
Fréquente l'atelier du peintre Louis Rioult ; publie les *Poésies*.

1830
Prend part à la bataille d'Hernani.

1831
Se rallie au Petit Cénacle ; « La Cafetière ».

1833
Les Jeune-France, romans goguenards.

1834
Rassemblement du groupe d'artistes de la « Bohème du Doyenné ».

1835
Mademoiselle de Maupin.

1836
Voyage en Belgique ; entre à *La Presse* comme chroniqueur dramatique ; naissance de son fils Théophile.

1839
Une larme du diable (« Omphale », « La Morte amoureuse »).

1841
Le ballet *Giselle* (livret de Gautier) est créé à l'Opéra de Paris.

1844
Les Grotesques.

1845
Voyage en Algérie ; naissance de sa fille Judith ; deux ans avant Estelle.

Événements politiques et culturels

1804-1815
Premier Empire.

1813-1822
E.T.A. Hoffmann, Contes.

1814
Ingres, *La Grande Odalisque.*

1815-1830
Restauration ; règne de Louis XVIII puis de Charles X.

1820-1823
Lamartine, *Méditations poétiques.*

1821
Mort de Napoléon.

1828
Delacroix, *La Mort de Sardanapale.*

1830
Stendhal, *Le Rouge et le Noir ;* Hugo : *Hernani.*

1830
Révolution de Juillet ; abdication de Charles X ; monarchie de Juillet ; Louis-Philippe roi des Français.

1831
Révolte des canuts lyonnais.

1833-1837
Chopin, *Études.*

1834
Musset, *Lorenzaccio.*

1837
Mérimée, *La Vénus d'Ille.*

1840-1846
Poe, *Histoires extraordinaires.*

1846
Berlioz, *La Damnation de Faust.*

Repères chronologiques

Vie et œuvre de Théophile Gautier

1850
Voyage en Italie.

1852
Voyage à Constantinople ; *Émaux et Camées ;* « Arria Marcella ».

1855
Entre au *Moniteur universel*, journal officiel de l'Empire, pour gagner de l'argent ; son ami Nerval se suicide.

1858
Le Roman de la momie.

1861-1863
Le Capitaine Fracasse.

1862-1866
Voyages en Algérie, en Espagne, à Genève.

1866
Spirite ; mariage de sa fille Judith avec le poète Catulle Mendès, qu'il désapprouve.

1867
Invité chez la princesse Mathilde, cousine de l'Empereur, dont il devient bibliothécaire.

1869
Voyage écourté en Égypte.

1872
Meurt, laissant son *Histoire du romantisme* inachevée.

Événements politiques et culturels

1848
Chateaubriand, *Mémoires d'outre-tombe.*

1848
Révolution de Février ; IIe République ; Louis-Napoléon Bonaparte élu président.

1851
Coup d'État de Louis Napoléon.

1852
Début du second Empire ; exil de Hugo désapprouvé par Gautier.

1853
Hugo, *Les Châtiments ;* Verdi, *La Traviata.*

1854
Nerval, *Les Filles du feu.*

1857
Banville, *Odes funambulesques ;* Flaubert, *Madame Bovary ;* Baudelaire, *Les Fleurs du mal.*

1863
Manet, *Le Déjeuner sur l'herbe.*

1865
Wagner, *Tristan et Isolde.*

1870
Guerre entre la France et la Prusse ; abdication de l'Empereur ; Commune de Paris ; début de la IIIe République.

1873
Tombeau de Théophile Gautier.

Fiche d'identité de l'œuvre

La Morte amoureuse et autres contes fantastiques

Auteur :
Théophile Gautier (1831-1852).

Genre : contes fantastiques.

Forme :
récits brefs, publiés dans la presse puis rassemblés dans divers recueils.

Structure :
cinq nouvelles autonomes, variant en longueur et en conduite (narration continue ou elliptique), dont les titres réfèrent systématiquement à un personnage fantastique.

Principaux personnages : ils se distribuent en trois groupes fortement contrastés : de jeunes hommes disposés à l'amour (un peintre idéaliste, un jeune homme naïf, un prêtre inexpérimenté, un jeune voyageur épris du passé) ; des créatures fantastiques et infiniment séduisantes, le plus souvent féminines (une cafetière métamorphosée en jeune femme, une marquise libertine sortie d'une tapisserie, un vampire femelle, une jeune Pompéienne qui refuse la mort advenue plus de 2 000 ans auparavant, un seul homme dans cette galerie de personnages fantastique [un chevalier à la double nature]) ; enfin, des représentants de l'ordre (oncles et pères autoritaires, amis prosaïques, religieux violents voulant ramener les amoureux à la raison).

Sujet : dans quatre de ces récits, un jeune homme idéaliste et amoureux de l'art s'éprend d'une femme mystérieuse - revenante, vampire, diable femelle ou œuvre miraculeusement animée. La réalité devient perméable au rêve, le monde quotidien s'ouvre à l'impossible (l'inanimé prend vie, les morts ressuscitent), la loi du réel est vaincue le temps d'une nuit, ou d'une vie, mais le désir est toujours puni, ou du moins vécu sur le mode de la mélancolie et du renoncement. « Le Chevalier double » est à part - le héros fabuleux triomphe de son double maléfique pour épouser une belle châtelaine -, mais incarne lui aussi la punition d'un amour impossible, celui que la mère du héros a éprouvé pour un être fascinant.

Pour ou contre

La Morte amoureuse et autres contes fantastiques

Pour

Émile BERGERAT :

« La vie lui paraissait semée des embûches les plus noires par le monde supérieur. Il croyait aux sortilèges, aux enchantements, aux envoûtements, à la magie, aux sens des songes, à la divination des moindres accidents [...] ».

Entretiens, souvenirs et correspondances, 1880.

Michel CROUZET :

« La formule fantastique est la pointe extrême, le moment radical du comportement romantique, la mise en liberté de l'imagination, ou tout simplement l'imagination elle-même rétablie dans ses droits et sa souveraineté ».

Introduction à Théophile Gautier, *L'Œuvre fantastique*, 1992.

Contre

Émile ZOLA :

« Ce n'est pas être un esprit encyclopédique que de tout effleurer en plaisantant, en substituant aux vérités les fantaisies d'une imagination toujours en branle ».

Cité dans Théophile Gautier, *Œuvres poétiques complètes*, éd. M. Brix, p. 876.

Pour mieux lire l'œuvre

✥ Au temps de Gautier

Le Poète impeccable

Gautier a écrit pendant presque un demi-siècle et s'est exercé à toutes sortes de genres littéraires. Poète, il a fait paraître son premier recueil à 19 ans, a publié *Émaux et Camées*, recueil délicat, et a été le noble dédicataire des *Fleurs du mal* : « Au Poëte impeccable, au parfait magicien ès lettres françaises, à mon très-cher et très-vénéré, maître et ami, Théophile Gautier, avec les sentiments, de la plus profonde humilité, je dédie ces fleurs maladives ». Il a été aussi romancier avec *Le Capitaine Fracasse*, critique dramatique dans la presse française, auteur de comptes rendus des salons de peinture, comme Baudelaire… C'est un polygraphe, doué pour toutes les écritures, et un lecteur passionné, grand connaisseur de la tradition qui avoue pourtant un faible pour le roman populaire lu « devant un bon feu ».

L'art pour l'art

Il existe néanmoins une unité très forte à son œuvre ; elle réside dans une conception très élevée de l'art qui poursuit un rêve de beauté. Baudelaire écrivait à son propos : « Il a introduit dans la poésie un élément nouveau, que j'appellerai la consolation par les arts, par tous les éléments pittoresques qui réjouissent les yeux et amusent l'esprit ». Voilà une formulation de la doctrine littéraire à laquelle on associe le nom de Théophile Gautier : « l'art pour l'art », ou ce que les frères Goncourt appelleront « l'écriture artiste ». Il s'agit d'abord d'une idée de la littérature où le plaisir des mots, le raffinement des références et le goût de raconter importent autant que le sujet ; la littérature est aimée pour elle-même, non pour les fonctions, en particulier morales, individuelles ou politiques, qu'elle est susceptible de remplir. Gautier formule dans la préface de son roman, *Mademoiselle de Maupin*, des principes provocants, dénonçant le désir de mettre l'art au service du Progrès, identifié à Hugo ; il s'agit de défendre l'autonomie de l'art. L'écriture artiste vit de pièces d'anthologies, travaillées comme des joyaux, d'un amour du langage et des mots les plus précieux, parfois les plus difficiles, de citations voilées où une petite communauté de lecteurs peut se reconnaître, d'un goût du pittoresque, du voyage, des civilisations cultivées (Pompéi dans *Arria Marcella*, la Scandinavie dans *Le Chevalier double*, ailleurs l'Espagne ou l'Égypte), de descriptions minutieuses, de plaisirs vieillis (la Régence, le rococo en sont la traduction dans les contes fantastiques) et d'anachronismes provocateurs. Cet esthétisme a eu d'autres expressions à la même époque, par exemple le goût pour les bibelots et les chinoiseries, ce raffinement décoratif dont on trouve l'écho dans les contes de Gautier. Mais il s'agit aussi, comme le souligne le jugement de Baudelaire, d'une attitude complète adoptée devant le monde et devant la vie, un « esthétisme » qui « console » de certaines laideurs du monde et place au plus haut, dans l'échelle des facultés et des activités humaines, l'expérience de l'art ; l'imagination y est reine, les œuvres d'art deviennent la mesure de tout, elles servent de filtres et de buts à l'expérience... les femmes les plus belles sont des statues, les paysages, des tableaux, et l'amour, une création.

Un romantique en marge

La pensée de « l'art pour l'art » est une façon d'échapper au débat qui, au XIXe siècle, somme les écrivains de choisir leur camp pour ou contre le romantisme. Gautier est un romantique, mais un romantique marginal ; certes, il a pris part à la bataille d'*Hernani* avec fougue (choisissant en cela le camp de la jeunesse, de l'enthousiasme et de l'exubérance). Mais il dénoncera dans *Les Jeune-France* « les précieuses ridicules du romantisme » et les flots narcissiques de leur épanchement. Il a aussi un goût anachronique pour la culture antique et sa définition du beau symbolisée par le marbre, une grande connaissance de la tradition qui s'éloigne du culte de l'originalité – « Rien n'est nouveau sous le soleil », affirme Fabio dans *Arria Marcella*. Ce goût nourrira un rapprochement avec la délicatesse de la poésie du « Parnasse », à laquelle le recueil de Gautier, *Émaux et Camées*, est aussi associé (le mouvement parnassien réunit un ensemble de poètes en quête de repères formels autour de Leconte de Lisle à partir des années 1860). L'énergie romantique, jamais démentie, et la croyance classique en un idéal se conjuguent dans son œuvre.

Le choix du fantastique

Cette vision de la vie et de l'art s'exprime ici dans la forme du conte fantastique, ces brèves nouvelles cristallisées autour d'un événement extraordinaire, d'une réalité étrange qui vient déchirer le cours du quotidien et indiquer la possibilité d'une autre dimension ; rien d'étonnant à ce que, chez Gautier, cette autre dimension ou cet autre monde soient fatalement associés à celle de l'art, fenêtre ouverte sur l'idéal dans chacune de nos vies. Alors que le XVIIIe siècle privilégiait le conte philosophique, le XIXe se tourne vers d'autres genres de récits brefs, explorant plus volontiers la réalité et ses marges : contes merveilleux, folkloriques ou fantastiques, mais aussi nouvelles réalistes et contes poétiques. Nodier, Mérimée, Nerval, mais aussi Balzac et Stendhal s'y sont illustrés. L'époque où écrit Gautier est celle d'un indéniable engouement pour le fantastique ; ce genre est associé à l'influence des littératures allemande et anglaise, et Gautier a un rôle actif dans leur diffusion. L'écrivain allemand Hoffmann, maître du fantastique, est traduit en France à partir des années 1830. Gautier lui consacre un article dès 1831. Il nourrit sa propre écriture de citations et d'allusions constantes à Hoffmann ; il trouve chez lui un réservoir de situations et de thèmes dont il s'empare : métamorphoses, rêves et visions, animations d'objets, dédoublements, résurrections. Il observe aussi que la vision fantastique d'Hoffmann est d'autant plus puissante qu'elle naît d'une attention au réel, à un réel familier qui se dérègle progressivement : « Il se rend compte des formes extérieures avec une netteté et une précision admirables. [...] Dès lors une terreur étouffante vous met le genou sur la poitrine et ne vous laisse plus respirer jusqu'au bout de l'histoire ; et plus elle s'éloigne du cours ordinaire des choses, plus les objets sont minutieusement détaillés, l'accumulation de petites circonstances vraisemblables sert à masquer l'impossibilité du fond » (1836, *Chronique de Paris*). Gautier présentera aussi les *Contes bizarres* d'Arnim en 1856. Son œuvre fantastique est parallèle à cette activité continue de lecteur et de passeur, et se développe sur un temps long, de *La Cafetière* (1831) à *Spirite* (1866). La traduction des contes d'Edgar Allan Poe par Baudelaire cristallisera en France cet intérêt pour le genre fantastique, son association du plausible et des visions, de la description et des déformations grimaçantes de la réalité humaine.

Un rêve persistant

Quelle émotion Gautier cherche-t-il dans le fantastique ? Ses nouvelles ne produisent en effet pas la terreur dont il parle au sujet de Hoffmann ; on joue chez lui à avoir peur, mais on entrevoit aussi la possibilité d'un autre regard sur les choses. On pourrait parler d'un mélange d'étrangeté, de mélancolie et de sourire. Étrangeté, puisqu'il s'agit de créer pour le lecteur les conditions d'un « rêve persistant », d'une hallucination durable qui invite à dépasser les frontières de la réalité ; le goût pour l'archéologie et les mondes exotiques y a sa part. Mélancolie, car l'autre monde qui déchire notre réalité et que l'on entrevoit dans l'expérience fantastique est un monde perdu, provisoirement ressuscité, et qu'il s'agit de reconquérir. Baudelaire avait su insister sur cette dimension : Gautier, disait-il, a continué « la grande école de la mélancolie, créée par Chateaubriand. Sa mélancolie est même d'un caractère plus positif, plus charnel, et confinant quelquefois à la tristesse antique ». Humour enfin, qui fait de Gautier un romantique « goguenard », perpétuellement moqueur, « l'inventeur du second degré. L'inventeur de cette attitude de jouissance intellectuelle, esthétique, littéraire, qui paraît strictement liée à l'époque moderne, lucide et enfantine, lasse et bienveillante », comme l'écrit Paolo Tortonese. Les contes fantastiques sont en effet aussi ironiques qu'ils sont enchanteurs, et l'humour y règne en maître ; ils rendent hommage à une tradition déjà toute faite tout en jouant avec elle, en en faisant miroiter les poncifs ; souvent des personnages prosaïques y traitent durement le rêve. Il ne s'agit pas pour Gautier de détruire l'illusion, de lever l'enchantement, mais d'ajouter un plaisir aux plaisirs, un raffinement aux raffinements, une culture à une émotion.

L'essentiel

Le nom de Gautier est associé à la pensée de *l'art pour l'art*, cet amour exclusif du beau ; ses contes fantastiques se nourrissent de cette attitude devant le réel et devant la vie, et nous proposent de poser un autre regard sur les choses, un regard souriant et nostalgique, à la fois désabusé et enchanté, sur des apparences toujours susceptibles de se déchirer pour faire place à la magie.

L'œuvre aujourd'hui

Un ancêtre de la science-fiction

Le fantastique est l'ancêtre de notre science-fiction ; comme celle-ci, il s'interroge sur les limites de l'humain et du réel, et fait de la littérature l'expérience d'un passage des frontières, une capacité à dépasser le temps, à inventer des façons nouvelles de regarder la réalité. Certes, il ne propose pas de machines étranges, d'espaces alternatifs ou d'anticipation des formes à venir de l'espèce humaine, mais son dépaysement est tout aussi fort, il s'appuie par exemple sur les découvertes contemporaines de civilisations anciennes (l'archéologie ou l'érudition), ou tout simplement sur le voyage, dont Gautier montre qu'il peut toujours être l'occasion d'une exploration de l'autre, du tout autre ou de l'autre en soi : « Je voyage pour me déplacer, sortir de moi-même et des autres, je voyage pour réaliser un rêve tout bêtement, pour changer de peau. »

L'énigme de la conscience

L'expérience fantastique est aussi, en cela, l'occasion de réfléchir à l'obscurité de nos identités, de nos peurs, de nos espoirs ; questions sans réponse sur ce que l'on est vraiment, dissolution du moi (rêves, visions, somnambulisme), dédoublements, peur de la mort, vœu d'absolu… cette littérature ouvre la boîte noire de la conscience, et semble annoncer ce qui allait être au cœur de la psychanalyse : la mise en avant de la part imaginaire et parfois morbide de nos désirs. On a d'ailleurs rapproché les contes fantastiques de Gautier d'un récit sur lequel Sigmund Freud, le père de la psychanalyse, a longuement réfléchi : *Gradiva*, qui a lui aussi pour héroïne une amoureuse morte.

La vie des images

La fascination pour les images qui définit notre culture contemporaine, enfin, prend naissance dans cette littérature romantique qui se définissait en partie par la croyance en une toute-puissance de l'imagination, cette « reine des facultés » comme le disait Baudelaire : la multiplication des représentations extérieures sur les écrans qui peuplent notre quotidien, mais aussi des représentations intérieures, la difficulté de faire la part entre le réel et le virtuel (pensons aux personnages prisonniers de la *Matrix*), la richesse foisonnante et réversible des apparences… autant d'invitations à réfléchir à l'ambiguïté des images. Les rêveurs ambigus de Gautier, le réalisme magique de ses contes où un petit objet sert toujours de transition entre les deux mondes, manifestaient déjà l'existence d'un continuum entre le réel et l'hallucination.

Pour mieux lire l'œuvre

L'essentiel

L'univers des *Contes fantastiques* correspond bien à notre monde où la religion de l'authentique et l'empire du virtuel doivent s'accorder ; il répondait déjà au désir de sortir de soi, de vivre plusieurs vies, de passer les frontières, et incarnait cette confiance dans l'imagination que nourrissent aujourd'hui la littérature, le cinéma, les jeux vidéo.

Le diable, lithographie de Odilon Redon, 1869.

La Morte amoureuse

et autres contes fantastiques

Théophile **Gautier**

Contes publiés pour la première fois dans la presse de 1831 à 1852

Vertumne et Pomone.
Peinture à l'huile de François Boucher, XVIIIe siècle.

La Cafetière

Conte fantastique

J'ai vu sous de sombres voiles
Onze étoiles,
La lune, aussi le soleil,
Me faisant la révérence,
En silence,
Tout le long de mon sommeil.

(La Vision de Jacob[1])

CHAPITRE I

L'ANNÉE DERNIÈRE, je fus invité, ainsi que deux de mes camarades d'atelier[2], Arrigo Cohic et Pedrino Borgnioli, à passer quelques jours dans une terre au fond de la Normandie.

Le temps, qui, à notre départ, promettait d'être superbe, s'avisa 5 de changer tout à coup, et il tomba tant de pluie, que les chemins creux où nous marchions étaient comme le lit d'un torrent.

Nous enfoncions[3] dans la bourbe[4] jusqu'aux genoux, une couche épaisse de terre grasse s'était attachée aux semelles de nos bottes, et par sa pesanteur ralentissait tellement nos pas, que nous n'arri- 10 vâmes au lieu de notre destination qu'une heure après le coucher du soleil.

Nous étions harassés[5] ; aussi, notre hôte, voyant les efforts que nous faisions pour comprimer[6] nos bâillements et tenir les yeux

1. **La vision de Jacob :** référence au premier livre de la Bible, la Genèse, XXXVII, 9.
2. **Atelier :** il s'agit d'un atelier de peinture, comme celui que Gautier a fréquenté dans sa jeunesse.
3. **Nous enfoncions :** nous nous enfoncions.
4. **La bourbe :** la boue.
5. **Harassés :** épuisés de fatigue.
6. **Comprimer :** retenir.

ouverts, aussitôt que nous eûmes soupé, nous fit conduire chacun
15 dans notre chambre.

La mienne était vaste ; je sentis, en y entrant, comme un frisson de fièvre, car il me sembla que j'entrais dans un monde nouveau.

En effet, l'on aurait pu se croire au temps de la Régence[1], à voir les dessus de porte de Boucher[2] représentant les quatre Saisons,
20 les meubles surchargés d'ornements de rocaille[3] du plus mauvais goût, et les trumeaux[4] des glaces sculptés lourdement.

Rien n'était dérangé. La toilette[5] couverte de boîtes à peignes, de houppes[6] à poudrer, paraissait avoir servi la veille. Deux ou trois robes de couleurs changeantes, un éventail semé de paillettes d'argent,
25 jonchaient le parquet bien ciré, et, à mon grand étonnement, une tabatière d'écaille ouverte sur la cheminée était pleine de tabac encore frais.

Je ne remarquai ces choses qu'après que le domestique, déposant son bougeoir sur la table de nuit, m'eut souhaité un bon somme,
30 et, je l'avoue, je commençai à trembler comme la feuille. Je me déshabillai promptement, je me couchai, et, pour en finir avec ces sottes frayeurs, je fermai bientôt les yeux en me tournant du côté de la muraille[7].

Mais il me fut impossible de rester dans cette position : le lit
35 s'agitait sous moi comme une vague, mes paupières se retiraient violemment en arrière. Force me fut de me retourner[8] et de voir.

Le feu qui flambait jetait des reflets rougeâtres dans l'appartement, de sorte qu'on pouvait sans peine distinguer les personnages de la tapisserie et les figures des portraits enfumés[9] pendus à la
40 muraille.

---

1. **La Régence** : période de l'histoire de France qui correspond à la minorité de Louis XV (1715-1723). Le style Régence est très apprécié par le groupe de la Bohème du Doyenné, auquel appartient Gautier, car il s'oppose à la froideur du classicisme.
2. **Boucher** : peintre français (1703-1770).
3. **Rocaille** : style ornemental fantaisiste répandu sous la Régence.
4. **Trumeaux** : panneaux ornementaux peints.
5. **La toilette** : la table de toilette.
6. **Houppes** : pompons plats servant à se poudrer.
7. **La muraille** : le mur.
8. **Force me fut de me retourner** : je fus obligé de me retourner.
9. **Enfumés** : noircis.

C'étaient les aïeux de notre hôte, des chevaliers bardés[1] de fer, des conseillers en perruque, et de belles dames au visage fardé et aux cheveux poudrés à blanc[2], tenant une rose à la main.

Tout à coup le feu prit un étrange degré d'activité ; une lueur 45 blafarde illumina la chambre, et je vis clairement que ce que j'avais pris pour de vaines peintures[3] était la réalité ; car les prunelles de ces êtres encadrés remuaient, scintillaient d'une façon singulière ; leurs lèvres s'ouvraient et se fermaient comme des lèvres de gens qui parlent, mais je n'entendais rien que le tic-tac de la pendule et 50 le sifflement de la bise d'automne.

Une terreur insurmontable s'empara de moi, mes cheveux se hérissèrent sur mon front, mes dents s'entrechoquèrent à se briser, une sueur froide inonda tout mon corps.

La pendule sonna onze heures. Le vibrement du dernier coup 55 retentit longtemps, et, lorsqu'il fut éteint tout à fait...

Oh ! non, je n'ose pas dire ce qui arriva, personne ne me croirait, et l'on me prendrait pour un fou.

Les bougies s'allumèrent toutes seules ; le soufflet, sans qu'aucun être visible lui imprimât le mouvement[4], se prit à souffler le feu, en 60 râlant comme un vieillard asthmatique, pendant que les pincettes fourgonnaient[5] dans les tisons et que la pelle relevait les cendres.

Ensuite une cafetière se jeta en bas d'une table où elle était posée, et se dirigea, clopin-clopant, vers le foyer, où elle se plaça entre les tisons.

65 Quelques instants après, les fauteuils commencèrent à s'ébranler, et, agitant leurs pieds tortillés d'une manière surprenante, vinrent se ranger autour de la cheminée.

---

1. **Bardés :** recouverts, armés.
2. **Poudrés à blanc :** recouverts d'une fine couche de poudre blanche.
3. **De vaines peintures :** des représentations dépourvues de réalité.
4. **Lui imprimât le mouvement :** le fît fonctionner.
5. **Fourgonnaient :** remuaient la braise.

Le chanteur Victor Maurel dans le rôle de Falstaff,
dans une comédie lyrique d'après Shakespeare, février 1893.

CHAPITRE II

JE NE SAVAIS que penser de ce que je voyais ; mais ce qui me restait à voir était encore bien plus extraordinaire.

70 Un des portraits, le plus ancien de tous, celui d'un gros joufflu à barbe grise, ressemblant, à s'y méprendre, à l'idée que je me suis faite du vieux sir John Falstaff[1], sortit, en grimaçant, la tête de son cadre, et, après de grands efforts, ayant fait passer ses épaules et son ventre rebondi entre les ais[2] étroits de la bordure, sauta lour-75 dement par terre.

Il n'eut pas plutôt pris haleine, qu'il tira de la poche de son pourpoint[3] une clef d'une petitesse remarquable ; il souffla dedans pour s'assurer si la forure[4] était bien nette, et il l'appliqua à tous les cadres les uns après les autres.

80 Et tous les cadres s'élargirent de façon à laisser passer aisément les figures qu'ils renfermaient.

Petits abbés poupins[5], douairières[6] sèches et jaunes, magistrats à l'air grave ensevelis dans de grandes robes noires, petits-maîtres[7] en bas de soie, en culotte de prunelle[8], la pointe de l'épée en haut, 85 tous ces personnages présentaient un spectacle si bizarre, que, malgré ma frayeur, je ne pus m'empêcher de rire.

Ces dignes personnages s'assirent ; la cafetière sauta légèrement sur la table. Ils prirent le café dans des tasses du Japon blanches et bleues, qui accoururent spontanément de dessus un secrétaire[9], 90 chacune d'elles munie d'un morceau de sucre et d'une petite cuiller d'argent.

---

1. **Sir John Falstaff** : personnage de la pièce *Henri IV* de Shakespeare (1597-1598) ; type du héros fanfaron et fripon.
2. **Les ais** : les planches.
3. **Pourpoint** : partie de l'habit masculin qui couvre le torse.
4. **Forure** : trou.
5. **Poupins** : aux traits rebondis comme ceux des bébés.
6. **Douairières** : vieilles dames de la haute société.
7. **Petits-maîtres** : jeunes hommes maniérés, élégants jusqu'à l'excès.
8. **Prunelle** : étoffe de laine épaisse.
9. **Secrétaire** : bureau à tiroirs.

Quand le café fut pris, tasses, cafetière et cuillers disparurent à la fois, et la conversation commença, certes la plus curieuse que j'aie jamais ouïe, car aucun de ces étranges causeurs ne regardait l'autre en parlant : ils avaient tous les yeux fixés sur la pendule.

Je ne pouvais moi-même en détourner mes regards et m'empêcher de suivre l'aiguille, qui marchait vers minuit à pas imperceptibles.

Enfin, minuit sonna ; une voix, dont le timbre était exactement celui de la pendule, se fit entendre et dit :

« Voici l'heure, il faut danser. »

Toute l'assemblée se leva. Les fauteuils se reculèrent de leur propre mouvement[1] ; alors, chaque cavalier prit la main d'une dame, et la même voix dit :

« Allons, messieurs de l'orchestre, commencez ! »

J'ai oublié de dire que le sujet de la tapisserie était un concerto italien d'un côté, et de l'autre une chasse au cerf où plusieurs valets donnaient du cor. Les piqueurs[2] et les musiciens, qui, jusque-là, n'avaient fait aucun geste, inclinèrent la tête en signe d'adhésion.

Le maestro[3] leva sa baguette, et une harmonie vive et dansante s'élança des deux bouts de la salle. On dansa d'abord le menuet[4].

Mais les notes rapides de la partition exécutée par les musiciens s'accordaient mal avec ces graves révérences : aussi chaque couple de danseurs, au bout de quelques minutes, se mit à pirouetter comme une toupie d'Allemagne[5]. Les robes de soie des femmes, froissées dans ce tourbillon dansant, rendaient des sons d'une nature particulière ; on aurait dit le bruit d'ailes d'un vol de pigeons. Le vent qui s'engouffrait par-dessous les gonflait prodigieusement, de sorte qu'elles avaient l'air de cloches en branle[6].

L'archet des virtuoses passait si rapidement sur les cordes, qu'il en jaillissait des étincelles électriques. Les doigts des flûteurs se haussaient et se baissaient comme s'ils eussent été de vif-argent[7] ;

---

1. **De leur propre mouvement :** comme par volonté.
2. **Les piqueurs :** valets de chasse à courre.
3. **Le maestro :** le chef d'orchestre.
4. **Le menuet :** danse en vogue aux XVIIe et XVIIIe siècles.
5. **Une toupie d'Allemagne :** petite toupie à ficelle, aussi appelée « moine ».
6. **En branle :** en mouvement.
7. **Vif-argent :** mercure ; par métaphore, désigne ce qui est très rapide.

les joues des piqueurs étaient enflées comme des ballons, et tout cela formait un déluge de notes et de trilles[1] si pressés et de gammes ascendantes et descendantes si entortillées, si inconcevables, que les démons eux-mêmes n'auraient pu deux minutes suivre une pareille mesure.

Aussi, c'était pitié de[2] voir tous les efforts de ces danseurs pour rattraper la cadence. Ils sautaient, cabriolaient, faisaient des ronds de jambe, des jetés battus et des entrechats[3] de trois pieds[4] de haut, tant que la sueur, leur coulant du front sur les yeux, leur emportait les mouches[5] et le fard[6]. Mais ils avaient beau faire, l'orchestre les devançait toujours de trois ou quatre notes.

La pendule sonna une heure : ils s'arrêtèrent. Je vis quelque chose qui m'était échappé : une femme qui ne dansait pas.

Elle était assise dans une bergère[7] au coin de la cheminée, et ne paraissait pas le moins du monde prendre part à ce qui se passait autour d'elle.

Jamais, même en rêve, rien d'aussi parfait ne s'était présenté à mes yeux ; une peau d'une blancheur éblouissante, des cheveux d'un blond cendré, de longs cils et des prunelles bleues, si claires et si transparentes, que je voyais son âme à travers aussi distinctement qu'un caillou au fond d'un ruisseau.

Et je sentis que, si jamais il m'arrivait d'aimer quelqu'un, ce serait elle. Je me précipitai hors du lit, d'où jusque-là je n'avais pu bouger, et je me dirigeai vers elle, conduit par quelque chose qui agissait en moi sans que je pusse m'en rendre compte ; et je me trouvai à ses genoux, une de ses mains dans les miennes, causant avec elle comme si je l'eusse connue depuis vingt ans.

Mais, par un prodige bien étrange, tout en lui parlant, je marquais d'une oscillation de tête la musique qui n'avait pas cessé de

---

1. **Trilles** : groupes de notes exécutées très rapidement.
2. **C'était pitié de** : cela faisait pitié de.
3. **Des jetés battus et des entrechats** : des sauts.
4. **Pieds** : unité de mesure.
5. **Mouches** : petits morceaux de taffetas noir que les femmes posaient sur leur peau, à la manière de grains de beauté, pour en faire ressortir la blancheur.
6. **Le fard** : le maquillage.
7. **Bergère** : fauteuil large, moelleux et profond.

jouer ; et, quoique je fusse au comble du bonheur d'entretenir une aussi belle personne, les pieds me brûlaient de danser avec elle.

Cependant je n'osais lui en faire la proposition. Il paraît qu'elle comprit[1] ce que je voulais, car, levant vers le cadran de l'horloge la
155 main que je ne tenais pas :

« Quand l'aiguille sera là, nous verrons, mon cher Théodore. »

Je ne sais comment cela se fit, je ne fus nullement surpris de m'entendre ainsi appeler par mon nom, et nous continuâmes à causer. Enfin, l'heure indiquée sonna, la voix au timbre d'argent
160 vibra encore dans la chambre et dit :

« Angéla, vous pouvez danser avec monsieur, si cela vous fait plaisir, mais vous savez ce qui en résultera.

– N'importe, répondit Angéla d'un ton boudeur. »

Et elle passa son bras d'ivoire autour de mon cou.

165 *« Prestissimo*[2] *! »* cria la voix.

Et nous commençâmes à valser. Le sein de la jeune fille touchait ma poitrine, sa joue veloutée effleurait la mienne, et son haleine suave[3] flottait sur ma bouche.

Jamais de la vie je n'avais éprouvé une pareille émotion ; mes
170 nerfs tressaillaient comme des ressorts d'acier, mon sang coulait dans mes artères en torrent de lave, et j'entendais battre mon cœur comme une montre accrochée à mes oreilles.

Pourtant cet état n'avait rien de pénible. J'étais inondé d'une joie ineffable[4] et j'aurais toujours voulu demeurer ainsi, et, chose
175 remarquable, quoique l'orchestre eût triplé de vitesse, nous n'avions besoin de faire aucun effort pour le suivre.

Les assistants[5], émerveillés de notre agilité, criaient bravo, et frappaient de toutes leurs forces dans leurs mains, qui ne rendaient aucun son.

180 Angéla, qui jusqu'alors avait valsé avec une énergie et une justesse surprenantes, parut tout à coup se fatiguer ; elle pesait sur mon épaule comme si les jambes lui eussent manqué ; ses petits

---

1. **Il paraît qu'elle comprit :** il est probable qu'elle comprit.
2. **Prestissimo :** indication musicale signifiant « très vite ».
3. **Son haleine suave :** son souffle d'une douceur exquise.
4. **Ineffable :** inexprimable.
5. **Assistants :** spectateurs.

pieds, qui, une minute auparavant, effleuraient le plancher, ne s'en détachaient que lentement, comme s'ils eussent été chargés d'une masse de plomb.

« Angéla, vous êtes lasse, lui dis-je, reposons-nous.

– Je le veux bien, répondit-elle en s'essuyant le front avec son mouchoir. Mais, pendant que nous valsions, ils se sont tous assis ; il n'y a plus qu'un fauteuil, et nous sommes deux.

– Qu'est-ce que cela fait, mon bel ange ? Je vous prendrai sur mes genoux. »

CHAPITRE III

SANS FAIRE la moindre objection, Angéla s'assit, m'entourant de ses bras comme d'une écharpe blanche, cachant sa tête dans mon sein pour se réchauffer un peu, car elle était devenue froide comme un marbre.

Je ne sais pas combien de temps nous restâmes dans cette position, car tous mes sens étaient absorbés dans la contemplation de cette mystérieuse et fantastique[1] créature.

Je n'avais plus aucune idée de l'heure ni du lieu ; le monde réel n'existait plus pour moi, et tous les liens qui m'y attachent étaient rompus ; mon âme, dégagée de sa prison de boue, nageait dans le vague et l'infini ; je comprenais ce que nul homme ne peut comprendre, les pensées d'Angéla se révélant à moi sans qu'elle eût besoin de parler ; car son âme brillait dans son corps comme une lampe d'albâtre[2], et les rayons partis de sa poitrine perçaient la mienne de part en part.

L'alouette chanta[3], une lueur pâle se joua sur les rideaux.

Aussitôt qu'Angéla l'aperçut, elle se leva précipitamment, me fit un geste d'adieu, et, après quelques pas, poussa un cri et tomba de sa hauteur.

---

1. **Fantastique :** étrange, irréelle.
2. **Albâtre :** pierre blanche translucide, proche du marbre.
3. **L'alouette chanta :** le chant de l'alouette annonce la naissance du jour, et donc la séparation des amants (alors que celui du rossignol annonce la nuit, et donc l'amour) ; il s'agit d'une référence à la pièce de Shakespeare *Roméo et Juliette*.

210 Saisi d'effroi, je m'élançai pour la relever... Mon sang se fige rien que d'y penser : je ne trouvai rien que la cafetière brisée en mille morceaux.

À cette vue, persuadé que j'avais été le jouet de quelque illusion diabolique, une telle frayeur s'empara de moi, que je m'évanouis.

CHAPITRE IV

215 LORSQUE je repris connaissance, j'étais dans mon lit ; Arrigo Cohic et Pedrino Borgnioli se tenaient debout à mon chevet.

Aussitôt que j'eus ouvert les yeux, Arrigo s'écria :

« Ah ! ce n'est pas dommage ! voilà bientôt une heure que je te frotte les tempes d'eau de Cologne. Que diable as-tu fait cette 220 nuit ? Ce matin, voyant que tu ne descendais pas, je suis entré dans ta chambre, et je t'ai trouvé tout du long étendu par terre, en habit à la française[1], serrant dans tes bras un morceau de porcelaine brisée, comme si c'eût été une jeune et jolie fille.

– Pardieu ! c'est l'habit de noce de mon grand-père, dit l'autre en 225 soulevant une des basques[2] de soie fond rose à ramages[3] verts. Voilà les boutons de strass et de filigrane[4] qu'il nous vantait tant. Théodore l'aura trouvé dans quelque coin et l'aura mis pour s'amuser. Mais à propos de quoi t'es-tu trouvé mal ? ajouta Borgnioli. Cela est bon pour une petite maîtresse[5] qui a des épaules blanches ; 230 on la délace[6], on lui ôte ses colliers, son écharpe, et c'est une belle occasion de faire des minauderies[7].

---

1. **En habit à la française :** en habit long de cérémonie.
2. **Les basques :** les pans de la veste qui recouvrent les hanches.
3. **Les ramages :** décorations représentant des branchages fleuris.
4. **Filigrane :** ornement fait de filaments de métal entrelacés.
5. **Petite maîtresse :** jeune femme élégante et maniérée.
6. **On la délace :** on défait son corset pour la déshabiller.
7. **Minauderies :** manières coquettes, qui feignent la timidité pour mieux séduire.

– Ce n'est qu'une faiblesse qui m'a pris ; je suis sujet à cela[1] », répondis-je sèchement.

Je me levai, je me dépouillai de mon ridicule accoutrement.

235 Et puis l'on déjeuna.

Mes trois camarades mangèrent beaucoup et burent encore plus ; moi, je ne mangeais presque pas, le souvenir de ce qui s'était passé me causait d'étranges distractions.

Le déjeuner fini, comme il pleuvait à verse, il n'y eut pas moyen 240 de sortir ; chacun s'occupa comme il put. Borgnioli tambourina des marches guerrières sur les vitres ; Arrigo et l'hôte firent une partie de dames ; moi, je tirai de mon album un carré de vélin[2], et je me mis à dessiner.

Les linéaments[3] presque imperceptibles tracés par mon crayon, 245 sans que j'y eusse songé le moins du monde, se trouvèrent représenter avec la plus merveilleuse exactitude la cafetière qui avait joué un rôle si important dans les scènes de la nuit.

« C'est étonnant comme cette tête ressemble à ma sœur Angéla », dit l'hôte, qui, ayant terminé sa partie, me regardait travailler par-250 dessus mon épaule.

En effet, ce qui m'avait semblé tout à l'heure une cafetière était bien réellement le profil doux et mélancolique d'Angéla.

« De par tous les saints du paradis ! est-elle morte ou vivante ? m'écriai-je d'un ton de voix tremblant, comme si ma vie eût 255 dépendu de sa réponse.

– Elle est morte, il y a deux ans, d'une fluxion de poitrine[4] à la suite d'un bal.

– Hélas ! » répondis-je douloureusement.

Et, retenant une larme qui était près de tomber, je replaçai le 260 papier dans l'album.

Je venais de comprendre qu'il n'y avait plus pour moi de bonheur sur la terre !

Première publication dans *Le Cabinet de lecture*, 4 mai 1831.

---

1. **Je suis sujet à cela :** cela m'arrive souvent.
2. **Vélin :** papier blanc, fin, de luxe – le héros et ses camarades sont des peintres.
3. **Les linéaments :** les traits.
4. **Une fluxion de poitrine :** une pneumonie.

Clefs d'analyse

Action et personnages

1. À quel moment de la journée le groupe d'amis arrive-t-il à destination ?
2. Quel est le premier signe de l'entrée dans une autre dimension ?
3. Pourquoi les objets animés regardent-ils fixement la pendule ?
4. Quel signe annonce le retour du jour ? De quel événement est-il immédiatement suivi ?
5. Qui le dessin de Théodore représente-t-il ?

Langue

6. Énumérez les indications de temps dans le récit ; montrez qu'elles structurent la progression dramatique de l'histoire.
7. Relevez les comparaisons (l. 180-214). À quel registre appartiennent-elles ? En quoi cela contribue-t-il au fantastique ?
8. Relevez les mots appartenant au vocabulaire « Régence ». Quel est leur effet ?

Genre ou thèmes

9. Contrairement à la plupart des autres nouvelles, celle-ci est composée de parties numérotées. Donnez un titre à ces parties ; en quoi ce découpage correspond-il à l'ordre typique du récit fantastique ?
10. Quelle valeur symbolique peut prendre la difficulté étonnante de progression dans ce qui devait être une simple promenade ?
11. Montrez que la scène d'animation des objets est organisée comme un rituel.
12. Après « l'expérience fantastique », les choses rentrent apparemment dans l'ordre ; relevez les signes préparant ce retour au monde ordinaire.
13. Y a-t-il des restes ou des traces de mystère dans la réalité finalement rétablie ? En quoi le dénouement maintient-il l'hésitation propre au genre fantastique ?

Écriture

14. Rédigez le monologue intérieur d'Arrigo lorsqu'il tente de réveiller Théodore.

15. Le lendemain, Théodore décrit sincèrement à ses amis ce qu'il a ressenti ; écrivez le récit qu'il leur fait. Imaginez ensuite leur réponse incrédule, et les efforts qu'ils font pour le persuader que rien de cela n'a existé.

Pour aller plus loin

16. La nouvelle met en scène un univers vieilli, des objets surannés conservés anachroniquement dans le présent, elle joue sur une suspension du temps ordinaire, et la présence d'une pendule y a beaucoup d'importance. Étudiez toutes ces variations sur le temps.

17. « La Cafetière » est en grande partie inspirée d'une nouvelle d'Hoffmann, « Le Vase d'or ». Faites une recherche sur Hoffmann et comparez ces deux nouvelles.

* *À retenir*

La nouvelle doit à Hoffmann son déroulement, modèle du genre fantastique : le narrateur décrit dans un prélude la situation du personnage dans la réalité ; puis survient « l'intrusion brutale du mystère dans la vie réelle », au cours d'un épisode plongé dans un temps autre, et dominé par la rencontre avec une femme idéale ; enfin le retour à l'ordinaire rétablit un ordre, sous la pression d'une force extérieure, mais cet ordre est instable et garde trace de l'expérience fantastique.

Hercule et Omphale, peinture à l'huile de François Boucher, XVIIIe.

Omphale, ou la tapisserie amoureuse

Histoire rococo[1]

MON ONCLE, le chevalier de ***[2], habitait une petite maison donnant d'un côté sur la triste rue des Tournelles et de l'autre sur le triste boulevard Saint-Antoine[3]. Entre le boulevard et le corps du logis[4], quelques vieilles charmilles[5], dévorées d'insectes et de mousse, étiraient piteusement leurs bras décharnés[6] au fond d'une espèce de cloaque[7] encaissé par de noires et hautes murailles. Quelques pauvres fleurs étiolées[8] penchaient languissamment[9] la tête comme des jeunes filles poitrinaires[10], attendant qu'un rayon de soleil vînt sécher leurs feuilles à moitié pourries. Les herbes avaient fait irruption dans les allées, qu'on avait peine à reconnaître, tant il y avait longtemps que le râteau[11] ne s'y était promené. Un ou deux poissons rouges flottaient plutôt qu'ils ne nageaient dans un bassin couvert de lentilles d'eau[12] et de plantes de marais.

---

1. **Rococo :** le mot a deux sens ici combinés ; il désigne un style, celui de la Régence, et connote tout ce qui « est vieux et hors de mode, dans les arts, la littérature, les costumes, les manières, etc. » (*Compléments du Dictionnaire de l'Académie*, 1842). Dans ses *Promenades dans Rome* (1828), Stendhal commentait « ce mauvais goût désigné dans les ateliers sous le nom un peu vulgaire de *rococo* ».
2. **Le chevalier de *** :** c'est une convention des romans, en particulier à l'âge classique, que de nommer un personnage par son titre sans préciser son nom propre.
3. **Boulevard Saint-Antoine :** l'action se déroule à Paris, c'est-à-dire dans un espace familier.
4. **Le corps du logis :** les parties centrales de l'habitation.
5. **Charmilles :** allées de verdures ; le terme est légèrement précieux.
6. **Décharnés :** excessivement maigres, sans chair.
7. **Cloaque :** lieu sale et malsain.
8. **Étiolées :** décolorées, avec peu de vie.
9. **Languissamment :** avec langueur, avec peu d'énergie.
10. **Poitrinaires :** malades de la tuberculose.
11. **Le râteau :** outil de jardinage. « Il y avait longtemps que le râteau ne s'y était promené » : le jardin était abandonné depuis longtemps.
12. **Lentilles d'eau :** plantes flottant dans des eaux stagnantes.

Mon oncle appelait cela son jardin.

15 Dans le jardin de mon oncle, outre toutes les belles choses que nous venons de décrire, il y avait un pavillon[1] passablement maussade[2], auquel, sans doute par antiphrase[3], il avait donné le nom de *Délices*. Il était dans un état de dégradation complète. Les murs faisaient ventre[4] ; de larges plaques de crépi s'étaient détachées et 20 gisaient à terre entre les orties et la folle avoine ; une moisissure putride[5] verdissait les assises[6] inférieures ; les bois des volets et des portes avaient joué, et ne fermaient plus ou fort mal. Une espèce de gros pot à feu[7] avec des effluves rayonnantes formait la décoration de l'entrée principale ; car, au temps de Louis XV[8], temps de la 25 construction des *Délices*, il y avait toujours, par précaution, deux entrées. Des oves[9], des chicorées[10] et des volutes[11] surchargeaient la corniche toute démantelée par l'infiltration des eaux pluviales. Bref, c'était une fabrique[12] assez lamentable à voir que les *Délices* de mon oncle le chevalier de ⁺⁺⁺.

30 Cette pauvre ruine d'hier, aussi délabrée que si elle eût mille ans, ruine de plâtre et non de pierre, toute ridée, toute gercée, couverte de lèpre[13], rongée de mousse et de salpêtre[14], avait l'air d'un de ces vieillards précoces, usés par de sales débauches ; elle n'inspirait aucun respect, car il n'y a rien d'aussi laid et d'aussi misérable au

---

1. **Un pavillon :** un petit bâtiment isolé dans le jardin.
2. **Maussade :** triste.
3. **Par antiphrase :** l'antiphrase est une figure de rhétorique par laquelle on dit le contraire de ce que l'on voudrait faire comprendre ; c'est un mode d'expression ironique.
4. **Faisaient ventre :** étaient renflés, bombés.
5. **Putride :** en décomposition.
6. **Les assises :** rang de pierre qui constitue la base d'un mur.
7. **Pot à feu :** ornement architectural en forme de vase d'où sortent des flammes.
8. **Au temps de Louis XV :** au début du XVIIIᵉ siècle.
9. **Oves :** ornement architectural, en forme d'œuf.
10. **Chicorées :** ornement architectural en forme de feuilles de chicorée.
11. **Volutes :** ornements en forme de spirale.
12. **Une fabrique :** mot vieilli ; petit bâtiment ornant un parc.
13. **Couverte de lèpre :** couverte de taches.
14. **Salpêtre :** poussière produite sur les murs par les moisissures.

35 monde qu'une vieille robe de gaze et un vieux mur de plâtre, deux choses qui ne doivent pas durer et qui durent.

C'était dans ce pavillon que mon oncle m'avait logé.

L'intérieur n'en était pas moins *rococo* que l'extérieur, quoiqu'un peu mieux conservé. Le lit était de lampas[1] jaune à grandes fleurs 40 blanches. Une pendule de rocaille[2] posait sur un piédouche[3] incrusté de nacre et d'ivoire. Une guirlande de roses pompon[4] circulait coquettement autour d'une glace de Venise ; au-dessus des portes les quatre saisons étaient peintes en camaïeu[5]. Une belle dame, poudrée à frimas[6], avec un corset bleu de ciel et une échelle 45 de rubans[7] de la même couleur, un arc dans la main droite, une perdrix dans la main gauche, un croissant sur le front[8], un lévrier à ses pieds, se prélassait et souriait le plus gracieusement du monde dans un large cadre ovale. C'était une des anciennes maîtresses de mon oncle, qu'il avait fait peindre en Diane[9]. L'ameublement, 50 comme on voit, n'était pas des plus modernes. Rien n'empêchait que l'on ne se crût au temps de la Régence[10], et la tapisserie mythologique qui tendait les murs complétait l'illusion on ne peut mieux.

---

1. **Lampas :** tissu de soie orné de grands dessins en relief.
2. **Rocaille :** style de décoration en vogue sous Louis XV, et qui a donné le mot « rococo » (voir le sous-titre de la nouvelle), caractérisé par des lignes courbes, souples, fantaisistes, et des volutes.
3. **Un piédouche :** un petit piédestal.
4. **Roses pompon :** variété de rose.
5. **Camaïeu :** peinture où une seule couleur est employée, selon toutes ses nuances et ses dégradés.
6. **Poudrée à frimas :** dont les cheveux sont recouverts d'une légère couche de poudre blanche, comme du givre.
7. **Échelle de rubans :** ornement d'un vêtement formé de rubans superposés.
8. **Un croissant sur le front :** croissant de lune qui orne la chevelure de la déesse Diane.
9. **Diane :** déesse des Bois et de la Nature, représentée en chasseresse.
10. **La Régence :** période de l'histoire de France qui correspond à la minorité de Louis XV (1715-1723). Le style Régence est très apprécié par la Bohème du Doyenné, à laquelle appartient Gautier, car il s'oppose à la froideur du classicisme.

La tapisserie représentait Hercule filant[1] aux pieds d'Omphale[2].
55 Le dessin était tourmenté à la façon de Van Loo[3] et dans le style le plus *Pompadour*[4] qu'il soit possible d'imaginer. Hercule avait une quenouille[5] entourée d'une faveur[6] couleur de rose ; il relevait son petit doigt avec une grâce toute particulière, comme un marquis qui prend une prise de tabac[7], en faisant tourner, entre son pouce
60 et son index, une blanche flammèche de filasse[8] ; son cou nerveux était chargé de nœuds de rubans, de rosettes, de rangs de perles et de mille affiquets[9] féminins ; une large jupe gorge de pigeon[10], avec deux immenses paniers[11], achevait de donner un air tout à fait galant[12] au héros vainqueur de monstres.
65 Omphale avait ses blanches épaules à moitié couverte par la peau du lion de Némée[13] ; sa main frêle s'appuyait sur la noueuse massue de son amant ; ses beaux cheveux blond cendré avec un œil de poudre[14] descendaient nonchalamment le long de son cou, souple et onduleux comme un cou de colombe ; ses petits pieds,
70 vrais pieds d'Espagnole ou de Chinoise, et qui eussent été au large

1. **Filant :** préparant le fil pour un travail de tapisserie ; c'est une occupation très féminine.
2. **Omphale :** reine de Lydie, dont le dieu Hercule a été condamné à être l'esclave, obligé de s'habiller en femme et de filer la laine. Omphale, elle, revêtait la peau de lion et portait la massue d'Hercule.
3. **Van Loo :** peintre français (1705-1765), d'origine flamande.
4. **Pompadour :** maîtresse attitrée de Louis XV. Le style Pompadour est une nuance du style rococo.
5. **Une quenouille :** bâton utilisé pour filer.
6. **Une faveur :** un ruban.
7. **Une prise de tabac :** une dose de tabac.
8. **Flammèche de filasse :** matière textile végétale (comme le lin) non encore filée.
9. **Affiquets :** parures (le mot peut être péjoratif).
10. **Gorge de pigeon :** couleur moirée et changeante comme les plumes de la gorge des pigeons.
11. **Paniers :** jupons à baleines rigides servant à faire bouffer une robe.
12. **Galant :** gracieux, élégant, séducteur.
13. **Lion de Némée :** monstre qu'Hercule a étouffé de ses propres mains dans la ville de Némée (Argos) et dont il a revêtu la peau.
14. **Œil de poudre :** poudre légère et teintée recouvrant les cheveux.

dans la pantoufle[1] de verre de Cendrillon, étaient chaussés de cothurnes[2] demi-antiques, lilas tendre, avec un semis de perles. Vraiment elle était charmante ! Sa tête se rejetait en arrière d'un air de crânerie adorable ; sa bouche se plissait et faisait une délicieuse 75 petite moue ; sa narine était légèrement gonflée, ses joues un peu allumées ; un *assassin*[3], savamment placé, en rehaussait l'éclat d'une façon merveilleuse ; il ne lui manquait qu'une petite moustache pour faire un mousquetaire accompli.

Il y avait encore bien d'autres personnages dans la tapisserie, 80 la suivante[4] obligée, le petit Amour de rigueur ; mais ils n'ont pas laissé dans mon souvenir une silhouette assez distincte pour que je les puisse décrire.

En ce temps-là j'étais fort jeune, ce qui ne veut pas dire que je sois très vieux aujourd'hui ; mais je venais de sortir du collège, et 85 je restai chez mon oncle en attendant que j'eusse fait choix d'une profession. Si le bonhomme avait pu prévoir que j'embrasserais celle de[5] conteur fantastique, nul doute qu'il ne m'eût mis à la porte et déshérité irrévocablement ; car il professait pour la littérature en général, et les auteurs en particulier, le dédain le plus aris- 90 tocratique. En vrai gentilhomme qu'il était, il voulait faire pendre ou rouer de coups de bâton, par ces gens, tous ces petits grimauds[6] qui se mêlent de noircir du papier et parlent irrévérencieusement des personnes de qualité. Dieu fasse paix à mon pauvre oncle ! mais il n'estimait réellement au monde que l'épître à Zétulbé[7].

95 Donc je venais de sortir du collège. J'étais plein de rêves et d'illusions ; j'étais naïf autant et peut-être plus qu'une rosière de

---

1. **Qui eussent été au large dans la pantoufle :** pour lesquels même la pantoufle aurait été trop grande.
2. **Cothurnes :** chaussures montantes à lacets que l'on portait dans l'Antiquité.
3. **Un assassin :** petite morceau d'étoffe noire posé sur la peau pour en faire ressortir la blancheur, comme un grain de beauté ; on l'appelle aussi « mouche » et, selon sa position, il porte un nom spécifique et aguicheur : l'assassin, la discrète…
4. **La suivante :** jeune fille attachée au service d'une grande dame.
5. **J'embrasserais celle de :** je choisirais le métier de.
6. **Grimauds :** mauvais écrivains.
7. **L'épître à Zétulbé :** référence à un opéra-comique de Boieldieu, *Le Calife de Bagdad*, donné le 16 février 1800, mais aussi, plus largement, à une romance sentimentale en vogue à la même époque.

Salency[1]. Tout heureux de ne plus avoir de *pensums*[2] à faire, je trouvais que tout était pour le mieux dans le meilleur des mondes possibles. Je croyais à une infinité de choses ; je croyais à la ber-
100 gère de M. de Florian[3], aux moutons peignés et poudrés à blanc[4] ; je ne doutais pas un instant du troupeau de Mme Deshoulières[5]. Je pensais qu'il y avait effectivement neuf muses[6], comme l'affirmait l'*Appendix de Diis et Heroïbus* du père Jouvency[7]. Mes souvenirs de Berquin[8] et de Gessner[9] me créaient un petit monde où tout était
105 rose, bleu de ciel et vert pomme. Ô sainte innocence ! *sancta simplicitas !* comme dit Méphistophélès[10].

Quand je me trouvai dans cette belle chambre, chambre à moi, à moi tout seul, je ressentis une joie à nulle autre seconde. J'inventoriai soigneusement jusqu'au moindre meuble ; je furetai
110 dans tous les coins, et je l'explorai dans tous les sens. J'étais au quatrième ciel, heureux comme un roi ou deux. Après le souper[11] (car on soupait chez mon oncle), charmante coutume qui s'est perdue avec tant d'autres non moins charmantes que je regrette de

---

1. **Rosière de Salency :** une rosière est une jeune fille récompensée publiquement pour sa vertu ; dans la ville de Salency, dans l'Oise, on couronnait chaque année les jeunes filles de roses le jour de la Saint-Médard.
2. **Pensums :** travail à faire par un élève en guise de punition.
3. **La bergère de M. de Florian :** personnage typique des œuvres de Jean-Pierre-Claris (1755-1794), auteur de comédies, de fables et de pastorales.
4. **Poudrés à blanc :** dont le pelage, comme les cheveux des belles, est recouvert d'une fine couche de poudre blanche.
5. **Madame Deshoulières** : Antoinette du Ligier de La Garde (1643-1694), auteur de poésies pastorales.
6. **Neuf muses :** les déesses des arts, qui étaient au nombre de neuf.
7. **Le père Jouvency :** jésuite né en 1643 et mort en 1719, auteur d'un dictionnaire de mythologie cité précédemment, longtemps utilisé dans l'enseignement.
8. **Berquin :** Arnaud Berquin (1749-1791) est un auteur de romances sentimentales et bien pensantes.
9. **Gessner :** Salomon Gessner (1730-1788) est un écrivain suisse-allemand, auteur d'*Idylles* souvent traduites en français.
10. **Méphistophélès :** personnage du *Faust* de Goethe dont Nerval, ami de Gautier, avait traduit la première partie en 1828.
11. **Souper :** repas pris à une heure déjà avancée de la nuit ; cette pratique typique du XVIIIe siècle était déjà désuète au XIXe siècle.

tout ce que j'ai de cœur, je pris mon bougeoir[1] et je me retirai[2], tant
115 j'étais impatient de jouir de ma nouvelle demeure.

En me déshabillant, il me sembla que les yeux d'Omphale avaient remué ; je regardai plus attentivement, non sans un léger sentiment de frayeur, car la chambre était grande, et la faible pénombre lumineuse qui flottait autour de la bougie ne servait
120 qu'à rendre les ténèbres plus visibles. Je crus voir qu'elle avait la tête tournée en sens inverse. La peur commençait à me travailler sérieusement ; je soufflai la lumière[3]. Je me tournai du côté du mur, je mis mon drap par-dessus ma tête, je tirai mon bonnet jusqu'à mon menton, et je finis par m'endormir.

125 Je fus plusieurs jours sans oser jeter les yeux sur la maudite tapisserie.

Il ne serait peut-être pas inutile, pour rendre plus vraisemblable l'invraisemblable histoire que je vais raconter, d'apprendre à mes belles lectrices qu'à cette époque j'étais en vérité un assez joli gar-
130 çon. J'avais les yeux les plus beaux du monde : je le dis parce qu'on me l'a dit ; un teint un peu plus frais que celui que j'ai maintenant, un vrai teint d'œillet ; une chevelure brune et bouclée que j'ai encore, et dix-sept ans que je n'ai plus. Il ne me manquait qu'une jolie marraine pour faire un très passable Chérubin[4] ; malheureu-
135 sement la mienne avait cinquante-sept ans et trois dents, ce qui était trop d'un côté et pas assez de l'autre.

Un soir, pourtant, je m'aguerris[5] au point de jeter un coup d'œil sur la belle maîtresse d'Hercule ; elle me regardait de l'air le plus triste et le plus langoureux du monde. Cette fois-là j'enfonçai
140 mon bonnet jusque sur mes épaules et je fourrai ma tête sous le traversin.

Je fis cette nuit-là un rêve singulier, si toutefois c'était un rêve.

---

1. **Mon bougeoir** : on s'éclairait alors bien sûr à la bougie.
2. **Je me retirai** : je montai dans ma chambre.
3. **Je soufflai la lumière** : j'éteignis la bougie.
4. **Une jolie marraine pour faire un très passable Chérubin** : Chérubin est un personnage de page (jeune enfant au service d'une famille aristocratique) dans *Le Mariage de Figaro* de Beaumarchais. Dans cette célèbre pièce, Chérubin est amoureux de la comtesse Almaviva, qu'il appelle sa « marraine ».
5. **Je m'aguerris** : j'eus le courage, je pris sur moi.

J'entendis les anneaux des rideaux de mon lit glisser en criant sur leurs tringles, comme si l'on eût tiré précipitamment les courtines[1]. Je m'éveillai ; du moins dans mon rêve il me sembla que je m'éveillais. Je ne vis personne.

La lune donnait sur les carreaux et projetait dans la chambre sa lueur bleue et blafarde. De grandes ombres, des formes bizarres, se dessinaient sur le plancher et sur les murailles[2]. La pendule sonna un quart ; la vibration fut longue à s'éteindre ; on aurait dit un soupir. Les pulsations du balancier, qu'on entendait parfaitement, ressemblaient à s'y méprendre au cœur d'une personne émue.

Je n'étais rien moins qu'à mon aise et je ne savais trop que penser.

Un furieux[3] coup de vent fit battre les volets et ployer[4] le vitrage de la fenêtre. Les boiseries craquèrent, la tapisserie ondula. Je me hasardai à regarder du côté d'Omphale, soupçonnant confusément qu'elle était pour quelque chose dans tout cela. Je ne m'étais pas trompé.

La tapisserie s'agita violemment. Omphale se détacha du mur et sauta légèrement sur le parquet ; elle vint à mon lit en ayant soin de se tourner du côté de l'endroit[5]. Je crois qu'il n'est pas nécessaire de raconter ma stupéfaction. Le vieux militaire le plus intrépide n'aurait pas été trop rassuré dans une pareille circonstance, et je n'étais ni vieux ni militaire. J'attendis en silence la fin de l'aventure.

Une petite voix flûtée[6] et perlée[7] résonna doucement à mon oreille, avec ce grasseyement[8] mignard[9] affecté sous la Régence par les marquises et les gens du bon ton[10] :

---

1. **Les courtines :** les rideaux du lit.
2. **Les murailles :** les murs.
3. **Furieux :** très violent.
4. **Ployer :** fléchir, se courber.
5. **En ayant soin de se tourner du côté de l'endroit :** c'est une figure de tapisserie, qui a un envers et un endroit ; mais c'est aussi une femme dénudée – l'expression a alors quelque chose de salace (voir l. 223).
6. **Flûtée :** aiguë comme le son d'une flûte.
7. **Perlée :** harmonieuse, aux sonorités distinctes.
8. **Grasseyement :** façon maniérée de prononcée les « r ».
9. **Mignard :** gracieux, mignon. Le style « mignard » est vieilli au moment où Gautier écrit.
10. **Les gens du bon ton :** les gens « comme il faut ».

« Est-ce que je te fais peur, mon enfant ? Il est vrai que tu n'es qu'un enfant ; mais cela n'est pas joli d'avoir peur des dames, surtout de celles qui sont jeunes et te veulent du bien ; cela n'est ni honnête ni français ; il faut te corriger de ces craintes-là. Allons, petit sauvage, quitte cette mine et ne te cache pas la tête sous les couvertures. Il y aura beaucoup à faire à ton éducation, et tu n'es guère avancé, mon beau page[1] ; de mon temps les Chérubins étaient plus délibérés[2] que tu ne l'es.

– Mais, dame, c'est que...

– C'est que cela te semble étrange de me voir ici et non là, dit-elle en pinçant légèrement sa lèvre rouge avec ses dents blanches, et en étendant vers la muraille son doigt long et effilé. En effet, la chose n'est pas trop naturelle ; mais, quand je te l'expliquerais, tu ne la comprendrais guère mieux : qu'il te suffise donc de savoir que tu ne cours aucun danger.

– Je crains que vous ne soyez le... le...

– Le diable, tranchons le mot, n'est-ce pas ? c'est cela que tu voulais dire ; au moins tu conviendras que je ne suis pas trop noire pour un diable, et que, si l'enfer était peuplé de diables faits comme moi, on y passerait son temps aussi agréablement qu'en paradis. »

Pour montrer qu'elle ne se vantait pas, Omphale rejeta en arrière sa peau de lion et me fit voir des épaules et un sein d'une forme parfaite et d'une blancheur éblouissante.

« Eh bien ! qu'en dis-tu ? fit-elle d'un petit air de coquetterie satisfaite.

– Je dis que, quand vous seriez le diable en personne, je n'aurais plus peur, Madame Omphale.

– Voilà qui est parler ; mais ne m'appelez plus ni madame ni Omphale. Je ne veux pas être madame pour toi, et je ne suis pas plus Omphale que je ne suis le diable.

– Qu'êtes-vous donc, alors ?

– Je suis la marquise de T+++. Quelque temps après mon mariage le marquis fit exécuter cette tapisserie pour mon appartement, et m'y fit représenter sous le costume d'Omphale ; lui-même y figure sous

---

1. **Page :** un page est un jeune serviteur.
2. **Délibérés :** enhardis, sans timidité.

les traits d'Hercule. C'est une singulière idée qu'il a eue là ; car, Dieu le sait, personne au monde ne ressemblait moins à Hercule que le
205 pauvre marquis. Il y a bien longtemps que cette chambre n'a été habitée. Moi, qui aime naturellement la compagnie, je m'ennuyais à périr, et j'en avais la migraine. Être avec mon mari, c'est être seule. Tu es venu, cela m'a réjouie ; cette chambre morte s'est ranimée, j'ai eu à m'occuper de quelqu'un. Je te regardais aller et venir,
210 je t'écoutais dormir et rêver ; je suivais tes lectures. Je te trouvais bonne grâce, un air avenant, quelque chose qui me plaisait : je t'aimais enfin. Je tâchai de te le faire comprendre ; je poussais des soupirs, tu les prenais pour ceux du vent ; je te faisais des signes, je te lançais des œillades[1] langoureuses, je ne réussissais qu'à te
215 causer des frayeurs horribles. En désespoir de cause, je me suis décidée à la démarche inconvenante que je fais, et à te dire franchement ce que tu ne pouvais entendre à demi-mot. Maintenant que tu sais que je t'aime, j'espère que... »

La conversation en était là, lorsqu'un bruit de clef se fit entendre
220 dans la serrure.

Omphale tressaillit et rougit jusque dans le blanc des yeux.

« Adieu ! dit-elle, à demain. » Et elle retourna à sa muraille à reculons, de peur sans doute de me laisser voir son envers.

C'était Baptiste qui venait chercher mes habits pour les brosser.

225 « Vous avez tort, monsieur, me dit-il, de dormir les rideaux ouverts. Vous pourriez vous enrhumer du cerveau ; cette chambre est si froide ! »

En effet, les rideaux étaient ouverts : moi qui croyais n'avoir fait qu'un rêve, je fus très étonné, car j'étais sûr qu'on les avait fermés
230 le soir.

Aussitôt que Baptiste fut parti, je courus à la tapisserie. Je la palpai dans tous les sens ; c'était bien une vraie tapisserie de laine, raboteuse[2] au toucher comme toutes les tapisseries possibles. Omphale ressemblait au charmant fantôme de la nuit comme un
235 mort ressemble à un vivant. Je relevai le pan ; le mur était plein ; il n'y avait ni panneau masqué ni porte dérobée. Je fis seulement

1. **Des œillades :** des clins d'œil amoureux.

2. **Raboteuse :** rugueuse.

cette remarque[1], que plusieurs fils étaient rompus dans le morceau de terrain où portaient les pieds d'Omphale. Cela me donna à penser.

240 Je fus toute la journée d'une distraction sans pareille ; j'attendais le soir avec inquiétude et impatience tout ensemble. Je me retirai de bonne heure, décidé à voir comment tout cela finirait. Je me couchai ; la marquise ne se fit pas attendre ; elle sauta à bas du trumeau[2] et vint tomber droit à mon lit ; elle s'assit à mon chevet, 245 et la conversation commença.

Comme la veille, je lui fis des questions, je lui demandai des explications. Elle éludait les unes, répondait aux autres d'une manière évasive, mais avec tant d'esprit qu'au bout d'une heure je n'avais pas le moindre scrupule sur ma liaison avec elle.

250 Tout en parlant, elle passait ses doigts dans mes cheveux, me donnait de petits coups sur les joues et de légers baisers sur le front.

Elle babillait[3], elle babillait d'une manière moqueuse et mignarde, dans un style à la fois élégant et familier, et tout à fait grande 255 dame, que je n'ai jamais retrouvé depuis dans personne.

Elle était assise d'abord sur la bergère[4] à côté du lit ; bientôt elle passa un de ses bras autour de mon cou, je sentais son cœur battre avec force contre moi. C'était bien une belle et charmante femme réelle, une véritable marquise, qui se trouvait à côté de moi. 260 Pauvre écolier de dix-sept ans ! Il y avait de quoi en perdre la tête ; aussi je la perdis. Je ne savais pas trop ce qui allait se passer, mais je pressentais vaguement que cela ne pouvait plaire au marquis.

« Et monsieur le marquis, que va-t-il dire là-bas sur son mur ? »

La peau du lion était tombée à terre, et les cothurnes lilas tendre 265 glacé d'argent gisaient à côté de mes pantoufles.

« Il ne dira rien, reprit la marquise en riant de tout son cœur. Est-ce qu'il voit quelque chose ? D'ailleurs, quand il verrait[5], c'est le

---

1. **Je fis seulement cette remarque** : je notai seulement.
2. **Trumeau** : partie d'un mur, d'une cloison, comprise entre deux baies, deux fenêtres ; par extension, panneau ornant la partie supérieure d'une glace de cheminée.
3. **Elle babillait** : elle parlait gracieusement.
4. **La bergère** : fauteuil large, moelleux et profond.
5. **Quand il verrait** : quand bien même il verrait, même s'il voyait.

mari le plus philosophe[1] et le plus inoffensif du monde ; il est habitué à cela. M'aimes-tu, enfant ?

270 – Oui, beaucoup, beaucoup... »

Le jour vint ; ma maîtresse s'esquiva.

La journée me parut d'une longueur effroyable. Le soir arriva enfin. Les choses se passèrent comme la veille, et la seconde nuit n'eut rien à envier à la première. La marquise était de plus en plus 275 adorable. Ce manège se répéta pendant assez longtemps encore. Comme je ne dormais pas la nuit, j'avais tout le jour une espèce de somnolence qui ne parut pas de bon augure à mon oncle. Il se douta de quelque chose ; il écouta probablement à la porte, et entendit tout ; car un beau matin il entra dans ma chambre si 280 brusquement, qu'Antoinette eut à peine le temps de remonter à sa place.

Il était suivi d'un ouvrier tapissier avec des tenailles et une échelle.

Il me regarda d'un air rogue[2] et sévère qui me fit voir qu'il savait 285 tout.

« Cette marquise de T+++ est vraiment folle ; où diable avait-elle la tête de s'éprendre d'un morveux de cette espèce ? fit mon oncle entre ses dents ; elle avait pourtant promis d'être sage ! Jean, décrochez cette tapisserie, roulez-là et portez-là au grenier. »

290 Chaque mot de mon oncle était un coup de poignard.

Jean roula mon amante Omphale, ou la marquise Antoinette de T+++, avec Hercule, ou le marquis de T+++, et porta le tout au grenier. Je ne pus retenir mes larmes.

Le lendemain, mon oncle me renvoya par la diligence[3] de B+++ 295 chez mes respectables parents, auxquels, comme on pense bien, je ne soufflai pas mot de mon aventure.

Mon oncle mourut ; on vendit sa maison et les meubles ; la tapisserie fut probablement vendue avec le reste.

---

1. **Philosophe :** sage ; cet adjectif est ici employé ironiquement (le mari est compréhensif, il ferme les yeux sur la conduite de sa femme).
2. **Un air rogue :** un air renfrogné.
3. **Diligence :** voiture à cheval.

Toujours est-il qu'il y a quelque temps, en furetant chez un marchand de bric-à-brac[1] pour trouver des momeries[2], je heurtai du pied un gros rouleau tout poudreux et couvert de toiles d'araignée.

« Qu'est cela ? dis-je à l'Auvergnat.

– C'est une tapisserie rococo qui représente les amours de madame Omphale et de monsieur Hercule ; c'est du Beauvais[3], tout en soie et joliment conservé. Achetez-moi cela pour votre cabinet ; je ne vous le vendrai pas cher, parce que c'est vous. »

Au nom d'Omphale, tout mon sang reflua sur mon cœur.

« Déroulez cette tapisserie », fis-je au marchand d'un ton bref et entrecoupé comme si j'avais la fièvre.

C'était bien elle. Il me sembla que sa bouche me fit un gracieux sourire et que son œil s'alluma en rencontrant le mien.

« Combien en voulez-vous ?

– Mais je ne puis vous céder cela à moins de quatre cents francs, tout au juste.

– Je ne les ai pas sur moi. Je m'en vais les chercher ; avant une heure je suis ici. »

Je revins avec l'argent ; la tapisserie n'y était plus. Un Anglais l'avait marchandée pendant mon absence, en avait donné six cents francs et l'avait emportée.

Au fond, peut-être vaut-il mieux que cela se soit passé ainsi et que j'aie gardé intact ce délicieux souvenir. On dit qu'il ne faut pas revenir sur ses premières amours ni aller voir la rose qu'on a admirée la veille.

Et puis je ne suis plus assez jeune ni assez joli garçon pour que les tapisseries descendent du mur en mon honneur.

---

1. **Marchand de bric-à-brac :** brocanteur.
2. **Des momeries :** des accessoires de déguisement.
3. **Du Beauvais :** des tapisseries fabriquées à Beauvais, ville réputée pour ce type d'artisanat.

Clefs d'analyse

Action et personnages

1. Qui raconte l'histoire ? Où se trouve ce narrateur au moment de l'aventure ? En quoi est-ce une situation propice au fantastique ?
2. Quelle scène mythologique représente la tapisserie ? Pourquoi cela est-il intéressant dans l'interprétation de la nouvelle ?
3. Quelles sont les précisions sur l'histoire passée du héros qui font de lui un innocent ? Quel genre d'innocent est-il ? En quoi cela le prédispose-t-il à l'aventure fantastique ?
4. Quelles sont les identités successives d'Omphale ?

Langue

5. Observez le niveau de langue dans les l. 1 à 53. Ce vocabulaire est-il ordinaire ? Correspond-il à la période où Gautier écrit ? Comment interpréter ce choix ?
6. L. 1 à 36. Relevez les termes qui font du monde décrit un univers délabré, pourri, décrépit.
7. L. 95 à 106. Énumérez les procédés stylistiques de l'ironie*.
8. Relevez les allusions grivoises et les clins d'œil au lecteur dans les descriptions et les paroles de la marquise. Quelle image de la vie d'Ancien Régime donnent-elles ?

Genre ou thèmes

9. Montrez que les descriptions successives du jardin en personnifient les divers éléments. Quel est l'effet de cette personnification ? Que prépare-t-elle ?
10. Étudiez les marques de distanciation* dans le discours du narrateur et de certains personnages. Comment infléchissent-elles le sens de la nouvelle ?
11. À quels personnages littéraires différents le narrateur se compare-t-il pour souligner sa naïveté ?
12. L. 291-293. Qu'est-ce qui fait l'incongruité de ces lignes ? En quoi l'humour qui y règne porte-t-il précisément sur les procédés du genre fantastique ?

Écriture

13. Récrivez sans ironie la description du jardin pour le transformer en un lieu majestueux.
14. L'oncle semble connaître les pouvoirs mystérieux de la tapisserie ; imaginez son histoire en un paragraphe.
15. La dernière phrase amorce une réflexion mélancolique sur les rapports entre le vieillissement et le désir ; rédigez sur ce thème un dialogue entre deux personnages qui ont des opinions opposées.

Pour aller plus loin

16. Faites une recherche sur l'époque rococo. Pourquoi intéresse-t-elle autant l'esthète qu'est Gautier ?
17. « La Cafetière » et « Omphale » présentent bien des similitudes dans l'art du portrait littéraire : comparaisons, choix du détail ridicule, apparence stéréotypées… Étudiez les portraits et les autoportraits de ces deux nouvelles. Montrez qu'ils provoquent un effet de distanciation.

✻ À retenir

Gautier ne croit pas au progrès. Son présent, nostalgique, est souvent synonyme de médiocrité ou de délabrement, comme le jardin d'« Omphale ». Il lui substitue un passé marqué par le désir du Beau et organise une rencontre fantastique entre deux époques éloignées ; l'œuvre d'art sert de médiation, incarnant la permanence du passé dans le présent, où mystère et réalité glissent l'un dans l'autre sans s'exclure.

La Mort de Sardanapale, Eugène Delacroix, 1827.

La Morte amoureuse

VOUS ME DEMANDEZ, frère[1], si j'ai aimé ; oui. C'est une histoire singulière et terrible, et, quoique j'aie soixante-six ans, j'ose à peine remuer la cendre de ce souvenir. Je ne veux rien vous refuser, mais je ne ferais pas à une âme moins éprouvée[2] un pareil récit. 5 Ce sont des événements si étranges, que je ne puis croire qu'ils me soient arrivés. J'ai été pendant plus de trois ans le jouet d'une illusion singulière et diabolique. Moi, pauvre prêtre de campagne, j'ai mené en rêve toutes les nuits (Dieu veuille que ce soit un rêve !) une vie de damné, une vie de mondain et de Sardanapale[3]. Un 10 seul regard trop plein de complaisance jeté sur une femme pensa[4] causer la perte de mon âme ; mais enfin, avec l'aide de Dieu et de mon saint patron, je suis parvenu à chasser l'esprit malin[5] qui s'était emparé de moi. Mon existence s'était compliquée d'une existence nocturne entièrement différente. Le jour, j'étais un prêtre 15 du Seigneur, chaste, occupé de la prière et des choses saintes ; la nuit, dès que j'avais fermé les yeux, je devenais un jeune seigneur, fin connaisseur en femmes, en chiens et en chevaux, jouant aux dés, buvant et blasphémant ; et lorsqu'au lever de l'aube je me réveillais, il me semblait au contraire que je m'endormais et que je 20 rêvais que j'étais prêtre. De cette vie somnambulique il m'est resté des souvenirs d'objets et de mots dont je ne puis pas me défendre, et, quoique je ne sois jamais sorti des murs de mon presbytère[6], on

---

1. **Vous me demandez, frère :** le récit se présente comme une confession adressée à un religieux par un autre ; le narrateur, prêtre déjà âgé, raconte son histoire à un autre prêtre, plus jeune.
2. **Éprouvée :** frappée, malheureuse.
3. **Sardanapale :** personnage imaginaire, souverain d'Assyrie, amateur de femmes et de plaisirs. Sardanapale est le héros d'une œuvre du poète anglais Byron (*Sardanapalus*, 1821) et la figure principale d'un célèbre tableau de Delacroix, *La Mort de Sardanapale*, exposé à Paris en 1827.
4. **Pensa :** faillit.
5. **Malin :** diabolique.
6. **Presbytère :** logement du curé.

dirait plutôt, à m'entendre, un homme ayant usé de tout et revenu du monde, qui est entré en religion et qui veut finir dans le sein de 25 Dieu des jours trop agités, qu'un humble séminariste[1] qui a vieilli dans une cure[2] ignorée, au fond d'un bois et sans aucun rapport avec les choses du siècle[3].

Oui, j'ai aimé comme personne au monde n'a aimé, d'un amour insensé et furieux, si violent que je suis étonné qu'il n'ait pas fait 30 éclater mon cœur. Ah ! quelles nuits ! quelles nuits !

Dès ma plus tendre enfance, je m'étais senti vocation pour l'état de prêtre ; aussi toutes mes études furent-elles dirigées dans ce sens-là, et ma vie, jusqu'à vingt-quatre ans, ne fut-elle qu'un long noviciat[4]. Ma théologie[5] achevée, je passai successivement par tous 35 les petits ordres[6], et mes supérieurs me jugèrent digne, malgré ma grande jeunesse, de franchir le dernier et redoutable degré. Le jour de mon ordination[7] fut fixé à la semaine de Pâques.

Je n'étais jamais allé dans le monde ; le monde, c'était pour moi l'enclos du collège et du séminaire. Je savais vaguement qu'il y 40 avait quelque chose que l'on appelait femme, mais je n'y arrêtais pas ma pensée ; j'étais d'une innocence parfaite. Je ne voyais ma mère vieille et infirme que deux fois l'an. C'étaient là toutes mes relations avec le dehors.

Je ne regrettais rien, je n'éprouvais pas la moindre hésitation 45 devant cet engagement irrévocable ; j'étais plein de joie et d'impatience. Jamais jeune fiancé n'a compté les heures avec une ardeur plus fiévreuse ; je n'en dormais pas, je rêvais que je disais la messe ; être prêtre, je ne voyais rien de plus beau au monde : j'aurais refusé d'être roi ou poète. Mon ambition ne concevait pas au-delà.

1. **Séminariste :** élève d'une école religieuse, destiné à devenir prêtre.
2. **Cure :** paroisse.
3. **Les choses du siècle :** la vie mondaine, par opposition à la vie religieuse.
4. **Noviciat :** période d'épreuves et d'apprentissage des futurs prêtres, qui se déroule dans une congrégation (un couvent) et consiste en un ensemble de règles très strictes. Le novice est celui qui vient de prendre l'habit religieux.
5. **Théologie :** cours de religion, qui constituent une étape du noviciat.
6. **Les petits ordres :** degrés mineurs de la hiérarchie ecclésiastique.
7. **Ordination :** cérémonie au cours de laquelle le novice devient prêtre ; l'évêque lui confère ce que l'on appelle les « ordres majeurs », d'où l'expression « entrer dans les ordres ».

50 Ce que je dis là est pour vous montrer combien ce qui m'est arrivé ne devait pas m'arriver, et de quelle fascination inexplicable j'ai été la victime.

Le grand jour venu, je marchai à l'église d'un pas si léger, qu'il me semblait que je fusse soutenu en l'air ou que j'eusse des ailes 55 aux épaules. Je me croyais un ange, et je m'étonnais de la physionomie sombre et préoccupée de mes compagnons ; car nous étions plusieurs. J'avais passé la nuit en prières, et j'étais dans un état qui touchait presque à l'extase[1]. L'évêque, vieillard vénérable[2], me paraissait Dieu le Père penché sur son éternité, et je voyais le ciel à 60 travers les voûtes du temple[3].

Vous savez les détails de cette cérémonie : la bénédiction, la communion sous les deux espèces[4], l'onction de la paume des mains[5] avec l'huile des catéchumènes[6], et enfin le saint sacrifice offert de concert avec l'évêque. Je ne m'appesantirai pas sur 65 cela. Oh ! que Job[7] a raison, et que celui-là est imprudent qui ne conclut pas un pacte avec ses yeux ! Je levai par hasard ma tête, que j'avais jusque-là tenue inclinée, et j'aperçus devant moi, si près que j'aurais pu la toucher, quoique en réalité elle fût à une assez grande distance et de l'autre côté de la balustrade[8], une

---

1. **L'extase :** joie extrême, transport, ravissement, état dans lequel se trouve une personne lors d'une expérience mystique.
2. **Vénérable :** auquel on doit un respect quasi religieux.
3. **Temple :** édifice consacré au culte d'une divinité, terme très général.
4. **La communion sous les deux espèces :** lors de la messe catholique, au moment de l'eucharistie ou « communion », les fidèles célèbrent la mort du Christ avec le pain et le vin ; au moment où Théophile Gautier écrit, seuls les prêtres communiaient sous les deux espèces.
5. **L'onction de la paume des mains :** lors de l'ordination, rite qui consiste à « oindre » (recouvrir d'une huile particulière) la paume des mains du futur prêtre pour leur donner un caractère sacré.
6. **Catéchumènes :** personnes que l'on élève dans la foi chrétienne pour les disposer à recevoir le baptême.
7. **Job :** personnage de la Bible auquel Dieu impose de longues et douloureuses épreuves de piété et de résistance. L'allusion est encore plus précise dans l'expression qui suit, qui reprend une phrase du Livre de Job (XXXI, 1) : « J'avais conclu un pacte avec mes yeux : ne pas fixer le regard sur une vierge ».
8. **Balustrade :** barrière de protection.

70 jeune femme d'une beauté rare et vêtue avec une magnificence royale. Ce fut comme si des écailles me tombaient des prunelles[1]. J'éprouvai la sensation d'un aveugle qui recouvrerait subitement la vue. L'évêque, si rayonnant tout à l'heure, s'éteignit tout à coup, les cierges pâlirent sur leurs chandeliers d'or comme les étoiles 75 au matin, et il se fit par toute l'église une complète obscurité. La charmante créature se détachait sur ce fond d'ombre comme une révélation angélique ; elle semblait éclairée d'elle-même et donner le jour plutôt que le recevoir.

Je baissai la paupière, bien résolu à ne plus la relever pour me 80 soustraire à l'influence des objets extérieurs ; car la distraction m'envahissait de plus en plus, et je savais à peine ce que je faisais.

Une minute après, je rouvris les yeux, car à travers mes cils je la voyais étincelante des couleurs du prisme[2], et dans une pénombre pourprée comme lorsqu'on regarde le soleil.

85 Oh ! comme elle était belle ! Les plus grands peintres, lorsque, poursuivant dans le ciel la beauté idéale, ils ont rapporté sur la terre le divin portrait de la Madone, n'approchent même pas de cette fabuleuse réalité. Ni les vers du poète ni la palette du peintre n'en peuvent donner une idée. Elle était assez grande, avec une 90 taille et un port[3] de déesse ; ses cheveux, d'un blond doux, se séparaient sur le haut de sa tête et coulaient sur ses tempes comme deux fleuves d'or ; on aurait dit une reine avec son diadème ; son front, d'une blancheur bleuâtre et transparente, s'étendait large et serein sur les arcs de deux cils presque bruns, singularité qui 95 ajoutait encore à l'effet de prunelles vert de mer d'une vivacité et d'un éclat insoutenables. Quels yeux ! avec un éclair ils décidaient de la destinée d'un homme ; ils avaient une vie, une limpidité, une ardeur, une humidité brillante que je n'ai jamais vues à un œil humain ; il s'en échappait des rayons pareils à des flèches et que 100 je voyais distinctement aboutir à mon cœur. Je ne sais si la flamme qui les illuminait venait du ciel ou de l'enfer, mais à coup sûr elle venait de l'un ou de l'autre. Cette femme était un ange ou un

---

1. **Comme si des écailles me tombaient des prunelles :** comme si mes yeux s'ouvraient enfin, comme si je voyais la vérité.
2. **Prisme :** dispositif qui réfracte la lumière.
3. **Un port :** un maintien, une posture.

démon, et peut-être tous les deux ; elle ne sortait certainement pas du flanc d'Ève, la mère commune. Des dents du plus bel orient[1] scintillaient dans son rouge sourire, et de petites fossettes se creusaient à chaque inflexion de sa bouche dans le satin rose de ses adorables joues. Pour son nez, il était d'une finesse et d'une fierté toute royale, et décelait la plus noble origine. Des luisants[2] d'agate jouaient sur la peau unie et lustrée de ses épaules à demi découvertes, et des rangs de grosses perles blondes, d'un ton presque semblable à son cou, lui descendaient sur la poitrine. De temps en temps elle redressait sa tête avec un mouvement onduleux de couleuvre ou de paon qui se rengorge[3], et imprimait un léger frisson à la haute fraise[4] brodée à jour[5] qui l'entourait comme un treillis d'argent.

Elle portait une robe de velours nacarat[6], et de ses larges manches doublées d'hermine[7] sortaient des mains patriciennes[8] d'une délicatesse infinie, aux doigts longs et potelés, et d'une si idéale transparence qu'ils laissaient passer le jour comme ceux de l'Aurore[9].

Tous ces détails me sont encore aussi présents que s'ils dataient d'hier, et, quoique je fusse dans un trouble extrême, rien ne m'échappait : la plus légère nuance, le petit point noir au coin du menton, l'imperceptible duvet aux commissures des lèvres, le velouté du front, l'ombre tremblante des cils sur les joues, je saisissais tout avec une lucidité étonnante.

À mesure que je la regardais, je sentais s'ouvrir dans moi des portes qui jusqu'alors avaient été fermées ; des soupiraux[10] obstrués se débouchaient dans tous les sens et laissaient entrevoir des

---

1. **Du plus bel orient :** de la couleur nacrée et brillante des perles.
2. **Des luisants :** des brillants.
3. **Se rengorge :** se pavane.
4. **Fraise :** collerette de dentelle.
5. **Brodée à jour :** délicatement brodée, avec des pleins et des vides.
6. **Nacarat :** rouge clair, avec des reflets nacrés.
7. **Hermine :** fourrure blanche, animal ressemblant à la belette.
8. **Patriciennes :** nobles, comme celles des patriciens, les aristocrates de la Rome antique.
9. **Comme ceux de l'Aurore :** allusion à l'image traditionnelle de « l'Aurore aux doigts de rose ».
10. **Soupiraux :** pluriel de « soupirail ».

perspectives inconnues ; la vie m'apparaissait sous un aspect tout
130 autre ; je venais de naître à un nouvel ordre d'idées. Une angoisse effroyable me tenaillait le cœur ; chaque minute qui s'écoulait me semblait une seconde et un siècle. La cérémonie avançait cependant, et j'étais emporté bien loin du monde dont mes désirs naissants assiégeaient furieusement[1] l'entrée. Je dis oui[2] cepen-
135 dant, lorsque je voulais dire non, lorsque tout en moi se révoltait et protestait contre la violence que ma langue faisait à mon âme : une force occulte m'arrachait malgré moi les mots du gosier. C'est là peut-être ce qui fait que tant de jeunes filles marchent à l'autel avec la ferme résolution de refuser d'une manière éclatante l'époux
140 qu'on leur impose, et que pas une seule n'exécute son projet. C'est là sans doute ce qui fait que tant de pauvres novices prennent le voile, quoique bien décidées à le déchirer en pièces au moment de prononcer leurs vœux. On n'ose causer un tel scandale devant tout le monde ni tromper l'attente de tant de personnes ; toutes
145 ces volontés, tous ces regards semblent peser sur vous comme une chape de plomb[3] : et puis les mesures sont si bien prises, tout est si bien réglé à l'avance, d'une façon si évidemment irrévocable, que la pensée cède au poids de la chose et s'affaisse complètement.

Le regard de la belle inconnue changeait d'expression selon le
150 progrès[4] de la cérémonie. De tendre et caressant qu'il était d'abord, il prit un air de dédain et de mécontentement comme de ne pas avoir été compris.

Je fis un effort suffisant pour[5] arracher une montagne, pour m'écrier que je ne voulais pas être prêtre ; mais je ne pus en venir à
155 bout ; ma langue resta clouée à mon palais, et il me fut impossible de traduire ma volonté par le plus léger mouvement négatif. J'étais, tout éveillé, dans un état pareil à celui du cauchemar, où l'on veut crier un mot dont votre vie dépend, sans en pouvoir venir à bout.

---

1. **Furieusement :** très violemment.
2. **Je dis oui :** c'est-à-dire qu'il dit le « oui » de l'ordination qui le fait prêtre.
3. **Chape de plomb :** ce qui paralyse et constitue un fardeau moral.
4. **Le progrès :** le déroulement, l'avancée.
5. **Suffisant pour :** qui aurait suffi à.

Elle parut sensible au martyre que j'éprouvais, et, comme pour 160 m'encourager, elle me lança une œillade[1] pleine de divines promesses. Ses yeux étaient un poème dont chaque regard formait un chant.

Elle me disait :

« Si tu veux être à moi, je te ferai plus heureux que Dieu lui- 165 même dans son paradis ; les anges te jalouseront. Déchire ce funèbre linceul[2] où tu vas t'envelopper ; je suis la beauté, je suis la jeunesse, je suis la vie ; viens à moi, nous serons l'amour. Que pourrait t'offrir Jéhovah[3] pour compensation ? Notre existence coulera comme un rêve et ne sera qu'un baiser éternel.

170 « Répands[4] le vin de ce calice[5], et tu es libre. Je t'emmènerai vers les îles inconnues ; tu dormiras sur mon sein, dans un lit d'or massif et sous un pavillon[6] d'argent ; car je t'aime et je veux te prendre à ton Dieu, devant qui tant de nobles cœurs répandent des flots d'amour qui n'arrivent pas jusqu'à lui. »

175 Il me semblait entendre ces paroles sur un rythme d'une douceur infinie, car son regard avait presque la sonorité, et les phrases que ses yeux m'envoyaient retentissaient au fond de mon cœur comme si une bouche invisible les eût soufflées dans mon âme. Je me sentais prêt à renoncer à Dieu, et cependant mon cœur accom- 180 plissait machinalement les formalités de la cérémonie. La belle me jeta un second coup d'œil si suppliant, si désespéré, que des lames acérées me traversèrent le cœur, que je me sentis plus de glaives dans la poitrine que la mère des douleurs[7].

C'en était fait, j'étais prêtre.

185 Jamais physionomie humaine ne peignit une angoisse aussi poignante ; la jeune fille qui voit tomber son fiancé mort subitement

---

1. **Une œillade :** un clin d'œil amoureux.
2. **Linceul :** drap qui recouvre un cadavre.
3. **Jéhovah :** nom donné à Dieu dans la Bible.
4. **Répands :** renverse (en signe de refus).
5. **Calice :** vase sacré où l'on consacre le vin, lors de l'eucharistie.
6. **Un pavillon :** un tour d'étoffe plissé accroché au plafond.
7. **La mère des douleurs :** la Vierge Marie, que l'on appelle parfois « Notre-Dame des sept douleurs », parce qu'elle a le cœur transpercé par les souffrances de son fils Jésus.

a côté d'elle, la mère auprès du berceau vide de son enfant, Ève assise sur le seuil de la porte du paradis, l'avare qui trouve une pierre à la place de son trésor, le poète qui a laissé rouler dans le feu le manuscrit unique de son plus bel ouvrage, n'ont point un air plus atterré[1] et plus inconsolable. Le sang abandonna complètement sa charmante figure, et elle devint d'une blancheur de marbre ; ses beaux bras tombèrent le long de son corps, comme si les muscles en avaient été dénoués, et elle s'appuya contre un pilier, car ses jambes fléchissaient et se dérobaient sous elle. Pour moi, livide, le front inondé d'une sueur plus sanglante que celle du Calvaire[2], je me dirigeai en chancelant vers la porte de l'église ; j'étouffais ; les voûtes s'aplatissaient sur mes épaules, et il me semblait que ma tête soutenait seule tout le poids de la coupole.

Comme j'allais franchir le seuil, une main s'empara brusquement de la mienne ; une main de femme ! Je n'en avais jamais touché. Elle était froide comme la peau d'un serpent, et l'empreinte m'en resta brûlante comme la marque d'un fer rouge. C'était elle. « Malheureux ! malheureux ! qu'as-tu fait ? » me dit-elle à voix basse ; puis elle disparut dans la foule.

Le vieil évêque passa ; il me regarda d'un air sévère. Je faisais la plus étrange contenance[3] du monde ; je pâlissais, je rougissais, j'avais des éblouissements. Un de mes camarades eut pitié de moi, il me prit et m'emmena ; j'aurais été incapable de retrouver tout seul le chemin du séminaire. Au détour d'une rue, pendant que le jeune prêtre tournait la tête d'un autre côté, un page[4] nègre, bizarrement vêtu, s'approcha de moi, et me remit, sans s'arrêter dans sa course, un petit portefeuille[5] à coins d'or ciselés, en me faisant signe de le cacher ; je le fis glisser dans ma manche et l'y tins jusqu'à ce que je fusse seul dans ma cellule. Je fis sauter le fermoir, il n'y avait que deux feuilles avec ces mots : « Clarimonde, au palais

---

4. **Répands :** renverse (en signe de refus).
2. **Calvaire :** la colline sur laquelle Jésus a été crucifié.
3. **Contenance :** attitude.
4. **Un page :** un jeune serviteur.
5. **Portefeuille :** ici, petit livre précieux recouvert de cuir où l'on glisse lettres et papiers.

Concini[1]. » J'étais alors si peu au courant des choses de la vie, que je ne connaissais pas Clarimonde, malgré sa célébrité, et que j'ignorais complètement où était situé le palais Concini. Je fis mille 220 conjectures, plus extravagantes les unes que les autres ; mais à la vérité, pourvu que je pusse la revoir, j'étais fort peu inquiet de ce qu'elle pouvait être, grande dame ou courtisane[2].

Cet amour né tout à l'heure s'était indestructiblement enraciné ; je ne songeai même pas à essayer de l'arracher, tant je sentais que 225 c'était là chose impossible. Cette femme s'était complètement emparée de moi, un seul regard avait suffi pour me changer ; elle m'avait soufflé sa volonté ; je ne vivais plus dans moi, mais dans elle et par elle. Je faisais mille extravagances, je baisais sur ma main la place qu'elle avait touchée, et je répétais son nom des heures 230 entières. Je n'avais qu'à fermer les yeux pour la voir aussi distinctement que si elle eût été présente en réalité, et je me redisais ces mots, qu'elle m'avait dits sous le portail de l'église : « Malheureux ! malheureux ! qu'as-tu fait ? » Je comprenais toute l'horreur de ma situation, et les côtés funèbres et terribles de l'état que je venais 235 d'embrasser se révélaient clairement à moi. Être prêtre ! c'est-à-dire chaste, ne pas aimer, ne distinguer ni le sexe ni l'âge, se détourner de toute beauté, se crever les yeux, ramper sous l'ombre glaciale d'un cloître ou d'une église, ne voir que des mourants, veiller auprès de cadavres inconnus et porter soi-même son deuil sur sa 240 soutane noire, de sorte que l'on peut faire de votre habit un drap pour votre cercueil !

Et je sentais la vie monter en moi comme un lac intérieur qui s'enfle et qui déborde ; mon sang battait avec force dans mes artères ; ma jeunesse, si longtemps comprimée, éclatait tout d'un coup 245 comme l'aloès[3] qui met cent ans à fleurir et qui éclôt avec un coup de tonnerre.

Comment faire pour revoir Clarimonde ? Je n'avais aucun prétexte pour sortir du séminaire, ne connaissant personne dans la ville ; je n'y devais même pas rester, et j'y attendais seulement 250 que l'on me désignât la cure que je devais occuper. J'essayai de

1. **Concini :** c'est un nom réel, celui de l'amant de Marie de Médicis, mort assassiné.
2. **Courtisane :** femme entretenue.
3. **Aloès :** plante exotique.

desceller[1] les barreaux de la fenêtre ; mais elle était à une hauteur effrayante, et n'ayant pas d'échelle, il n'y fallait pas penser. Et d'ailleurs je ne pouvais descendre que de nuit ; et comment me serais-je conduit dans l'inextricable dédale des rues ? Toutes ces difficultés, qui n'eussent rien été pour d'autres, étaient immenses pour moi, pauvre séminariste, amoureux d'hier, sans expérience, sans argent et sans habits.

Ah ! si je n'eusse pas été prêtre, j'aurais pu la voir tous les jours ; j'aurais été son amant, son époux, me disais-je dans mon aveuglement ; au lieu d'être enveloppé dans mon triste suaire[2], j'aurais des habits de soie et de velours, des chaînes d'or, une épée et des plumes comme les beaux jeunes cavaliers. Mes cheveux, au lieu d'être déshonorés par une large tonsure[3], se joueraient autour de mon cou en boucles ondoyantes. J'aurais une belle moustache cirée[4], je serais un vaillant[5]. Mais une heure passée devant un autel, quelques paroles à peine articulées, me retranchaient à tout jamais du nombre des vivants, et j'avais scellé moi-même la pierre de mon tombeau, j'avais poussé de ma main le verrou de ma prison !

1. **Desceller :** dégager, détacher.
2. **Suaire :** drap dans lequel on ensevelit le mort.
3. **Tonsure :** « coiffure » de certains ecclésiastiques, qui ont le crâne en partie rasé.
4. **Cirée :** pommadée.
5. **Un vaillant :** un courageux.

Clefs d'analyse

La Morte amoureuse (l. 1-268)

Action et personnages

1. Comment se présente le récit fait par le narrateur ? À qui s'adresse-t-il ?
2. Quel âge a le narrateur au début de la nouvelle ? Pourquoi cela est-il important ?
3. À quoi le narrateur était-il destiné ? Quel événement a bouleversé le cours de sa vie ?
4. Combien de temps a duré l'épisode fantastique dans la vie du narrateur ?

Langue

5. Observez la description de la vie religieuse ; relevez les figures et les choix de vocabulaire qui en font l'équivalent d'une mort au sein de la vie. Quelle idée de l'existence Gautier semble-t-il défendre ?
6. Étudiez les pronoms personnels des lignes 126 à 148. Le narrateur se sent-il acteur et responsable de ce qui est arrivé ?
7. Quel champ lexical unit la scène de l'ordination et la description de Clarimonde ? Qu'est-ce que cela signifie ?
8. Relevez les figures (comparaisons, métaphores, hyperboles) qui expriment le caractère extraordinaire de Clarimonde dans le portrait qui est fait d'elle.

Genre ou thèmes

9. Ce récit se présente comme une confession. Montrez que le personnage cherche à se justifier aux yeux de son interlocuteur. Dans quelle situation le lecteur est-il alors placé ?
10. La nouvelle ne repose pas sur un véritable suspense. À quel moment du récit le narrateur énonce-t-il les points principaux de son histoire ? Montrez que la tension narrative y est amortie. En quoi Gautier joue-t-il plus généralement sur un sentiment de « déjà-vu » ?

11. Montrez que le dédoublement à venir est préparé lors de l'ordination dans une première dépossession de soi que subit Romuald.

Écriture

12. Rédigez le monologue intérieur de l'héroïne au moment de sa rencontre avec Romuald à l'église ; ce texte devra montrer pourquoi Clarimonde élit Romuald.
13. Ordonnez les arguments donnés dans le texte en faveur et en défaveur de l'état de religieux, qui s'oppose aux promesses de Clarimonde.

Pour aller plus loin

14. Recensez les références à la statuaire et au marbre dans cette nouvelle, mais aussi dans « La Cafetière » et dans « Arria Marcella ». Quels sont les sens possibles de cette référence commune ?
15. Comparez plusieurs débuts de récits que vous connaissez. Que sait-on ? Que ne sait-on pas encore ?
16. *Le Diable amoureux*, de Cazotte (1772), est l'histoire comparable d'un démon femme ; rédigez une fiche de lecture sur ce roman.

✱ *À retenir*

Clarimonde est une œuvre d'art personnifiée : vivante, c'est un tableau coloré et éclatant ; morte, une statue froide et sublime. Ce « rêve de pierre » incarne un absolu de la beauté, et d'une beauté durable, antique, qui survit au passage du temps, contrairement à la chair ; mais la femme-statue est aussi une image morbide, un succube qui montre le péril du désir d'absolu et la fragilité des victoires sur la mort.

Je me mis à la fenêtre. Le ciel était admirablement bleu, les arbres avaient mis leur robe de printemps ; la nature faisait parade[1] d'une joie ironique. La place était pleine de monde ; les uns allaient, les autres venaient ; de jeunes muguets[2] et de jeunes beautés, couple par couple, se dirigeaient du côté du jardin et des tonnelles[3]. Des compagnons passaient en chantant des refrains à boire ; c'était un mouvement, une vie, un entrain, une gaieté qui faisaient péniblement ressortir mon deuil et ma solitude. Une jeune mère, sur le pas de la porte, jouait avec son enfant ; elle baisait sa petite bouche rose, encore emperlée de gouttes de lait, et lui faisait, en l'agaçant[4], mille de ces divines puérilités que les mères seules savent trouver. Le père, qui se tenait debout à quelque distance, souriait doucement à ce charmant groupe, et ses bras croisés pressaient sa joie sur son cœur. Je ne pus supporter ce spectacle ; je fermai la fenêtre, et je me jetai sur mon lit avec une haine et une jalousie effroyables dans le cœur, mordant mes doigts et ma couverture comme un tigre à jeun depuis trois jours.

Je ne sais pas combien de jours je restai ainsi ; mais, en me retournant dans un mouvement de spasme[5] furieux, j'aperçus l'abbé Sérapion[6] qui se tenait debout au milieu de la chambre et qui me considérait attentivement. J'eus honte de moi-même, et, laissant tomber ma tête sur ma poitrine, je voilai mes yeux avec mes mains.

« Romuald, mon ami, il se passe quelque chose d'extraordinaire en vous, me dit Sérapion au bout de quelques minutes de silence ; votre conduite est vraiment inexplicable ! Vous, si pieux, si calme et si doux, vous vous agitez dans votre cellule comme une bête fauve. Prenez garde, mon frère, et n'écoutez pas les suggestions du diable ; l'esprit malin[7], irrité de ce que vous vous êtes à tout jamais consacré au Seigneur, rôde autour de vous comme un

---

1. **Faisait parade (de) :** exhibait.
2. **Muguets :** jeunes gens élégants.
3. **Tonnelles :** voûtes de verdure.
4. **En l'agaçant :** en jouant coquettement avec lui.
5. **Spasme :** crispation involontaire des muscles par un mouvement brusque.
6. **Sérapion :** ce nom est emprunté à Hoffmann, dont l'ouvrage intitulé *Les Frères de Saint-Sérapion* a paru de 1819 à 1821.
7. **L'esprit malin :** le diable.

loup ravissant et fait un dernier effort pour vous attirer à lui. Au lieu de vous laisser abattre, mon cher Romuald, faites-vous une
300 cuirasse de prières, un bouclier de mortifications[1], et combattez vaillamment l'ennemi ; vous le vaincrez. L'épreuve est nécessaire à la vertu et l'or sort plus fin de la coupelle[2]. Ne vous effrayez ni ne vous découragez ; les âmes les mieux gardées et les plus affermies ont eu de ces moments. Priez, jeûnez, méditez, et le mauvais esprit
305 se retirera. »

Le discours de l'abbé Sérapion me fit rentrer en moi-même, et je devins un peu plus calme. « Je venais vous annoncer votre nomination à la cure de C*** ; le prêtre qui la possédait vient de mourir, et monseigneur l'évêque m'a chargé d'aller vous y installer ; soyez
310 prêt pour demain. » Je répondis d'un signe de tête que je le serais, et l'abbé se retira. J'ouvris mon missel[3] et je commençai à lire des prières ; mais ces lignes se confondirent bientôt sous mes yeux ; le fil des idées s'enchevêtra dans mon cerveau, et le volume me glissa des mains sans que j'y prisse garde.

315 Partir demain sans l'avoir revue ! ajouter encore une impossibilité à toutes celles qui étaient déjà entre nous ! perdre à tout jamais l'espérance de la rencontrer, à moins d'un miracle ! Lui écrire ? par qui ferais-je parvenir ma lettre ? Avec le sacré caractère[4] dont j'étais revêtu, à qui s'ouvrir, se fier ? J'éprouvais une anxiété terrible. Puis,
320 ce que l'abbé Sérapion m'avait dit des artifices du diable me revenait en mémoire ; l'étrangeté de l'aventure, la beauté surnaturelle de Clarimonde, l'éclat phosphorique[5] de ses yeux, l'impression brûlante de sa main, le trouble où elle m'avait jeté, le changement subit qui s'était opéré en moi, ma piété évanouie en un instant,
325 tout cela prouvait clairement la présence du diable, et cette main satinée n'était peut-être que le gant dont il avait recouvert sa griffe. Ces idées me jetèrent dans une grande frayeur, je ramassai le missel qui de mes genoux était roulé à terre, et je me remis en prières.

---

1. **Mortifications** : souffrances que l'on s'inflige à soi-même par piété.
2. **La coupelle** : vase dans lequel les alchimistes séparaient l'or des autres métaux pour obtenir une matière pure.
3. **Missel** : livre liturgique qui contient les textes de la messe.
4. **Le sacré caractère** : le caractère sacré, le statut de prêtre.
5. **Phosphorique** : qui brille comme du phosphore.

Le lendemain, Sérapion me vint prendre ; deux mules[1] nous
330 attendaient à la porte, chargées de nos maigres valises ; il monta l'une et moi l'autre tant bien que mal. Tout en parcourant les rues de la ville, je regardais à toutes les fenêtres et à tous les balcons si je ne verrais pas Clarimonde ; mais il était trop matin, et la ville n'avait pas encore ouvert les yeux. Mon regard tâchait de plonger
335 derrière les stores et à travers les rideaux de tous les palais devant lesquels nous passions. Sérapion attribuait sans doute cette curiosité à l'admiration que me causait la beauté de l'architecture, car il ralentissait le pas de sa monture pour me donner le temps de voir. Enfin nous arrivâmes à la porte de la ville et nous commençâmes
340 à gravir la colline. Quand je fus tout en haut, je me retournai pour regarder une fois encore les lieux où vivait Clarimonde. L'ombre d'un nuage couvrait entièrement la ville ; ses toits bleus et rouges étaient confondus dans une demi-teinte générale, où surnageaient çà et là, comme de blancs flocons d'écume, les fumées du matin.
345 Par un singulier effet d'optique, se dessinait, blond et doré sous un rayon unique de lumière, un édifice qui surpassait en hauteur les constructions voisines, complètement noyées dans la vapeur ; quoiqu'il fût à plus d'une lieue[2], il paraissait tout proche. On en distinguait les moindres détails, les tourelles, les plates-formes, les
350 croisées[3], et jusqu'aux girouettes en queue d'aronde[4].

« Quel est donc ce palais que je vois tout là-bas éclairé d'un rayon du soleil ? » demandai-je à Sérapion. Il mit sa main au-dessus de ses yeux, et, ayant regardé, il me répondit : « C'est l'ancien palais que le prince Concini a donné à la courtisane Clarimonde ;
355 il s'y passe d'épouvantables choses. »

En ce moment, je ne sais encore si c'est une réalité ou une illusion, je crus voir y glisser sur la terrasse une forme svelte et blanche qui étincela une seconde et s'éteignit. C'était Clarimonde !

Oh ! savait-elle qu'à cette heure, du haut de cet âpre chemin qui
360 m'éloignait d'elle, et que je ne devais plus redescendre, ardent et inquiet, je couvais de l'œil le palais qu'elle habitait, et qu'un jeu

---

1. **Mules :** femelles du mulet.
2. **Une lieue :** mesure ancienne, qui équivaut environ à 4 kilomètres.
3. **Les croisées :** châssis d'une fenêtre en forme de croix.
4. **En queue d'aronde :** en forme de queue d'hirondelle.

dérisoire de lumière semblait rapprocher de moi, comme pour m'inviter à y entrer en maître ? Sans doute, elle le savait, car son âme était trop sympathiquement liée à la mienne[1] pour n'en point
365 ressentir les moindres ébranlements, et c'était ce sentiment qui l'avait poussée, encore enveloppée de ses voiles de nuit, à monter sur le haut de la terrasse, dans la glaciale rosée du matin.

L'ombre gagna le palais, et ce ne fut plus qu'un océan immobile de toits et de combles[2] où l'on ne distinguait rien qu'une ondula-
370 tion montueuse[3]. Sérapion toucha sa mule[4], dont la mienne prit aussitôt l'allure, et un coude du chemin me déroba pour toujours la ville de S***, car je n'y devais pas revenir. Au bout de trois journées de route par des campagnes assez tristes, nous vîmes poindre à travers les arbres le coq du clocher de l'église que je devais des-
375 servir[5] ; et, après avoir suivi quelques rues tortueuses bordées de chaumières et de courtils[6], nous nous trouvâmes devant la façade qui n'était pas d'une grande magnificence. Un porche orné de quelques nervures[7] et de deux ou trois piliers de grès grossièrement taillés, un toit en tuiles et des contreforts[8] du même grès que les piliers,
380 c'était tout : à gauche le cimetière tout plein de hautes herbes, avec une grande croix de fer au milieu ; à droite et dans l'ombre de l'église, le presbytère. C'était une maison d'une simplicité extrême et d'une propreté aride. Nous entrâmes ; quelques poules picotaient sur la terre de rares grains d'avoine ; accoutumées apparem-
385 ment à l'habit noir des ecclésiastiques, elles ne s'effarouchèrent point de notre présence et se dérangèrent à peine pour nous laisser passer. Un aboi[9] éraillé et enroué se fit entendre, et nous vîmes accourir un vieux chien.

---

1. **Sympathiquement liée à la mienne :** en affinité étroite avec la mienne.
2. **Combles :** partie située directement sous le toit d'une construction.
3. **Montueuse :** faite de hauteurs.
4. **Toucha sa mule :** par une pression des talons sur les flancs de sa mule, lui fit signe d'aller plus vite.
5. **Que je devais desservir :** dont je devais être le curé.
6. **Courtils :** petits jardins attenants à des maisons paysannes.
7. **Nervures :** arrêtes saillantes.
8. **Contreforts :** murs servant d'appui à d'autres.
9. **Un aboi :** un aboiement.

C'était le chien de mon prédécesseur. Il avait l'œil terne, le poil
390 gris et tous les symptômes de la plus haute vieillesse où puisse atteindre un chien. Je le flattai[1] doucement de la main, et il se mit aussitôt à marcher à côté de moi avec un air de satisfaction inexprimable. Une femme assez âgée, et qui avait été la gouvernante de l'ancien curé, vint aussi à notre rencontre, et, après m'avoir fait
395 entrer dans une salle basse, me demanda si mon intention était de la garder. Je lui répondis que je la garderais, elle et le chien, et aussi les poules, et tout le mobilier que son maître lui avait laissé à sa mort, ce qui la fit entrer dans un transport de joie[2], l'abbé Sérapion lui ayant donné sur-le-champ le prix qu'elle en voulait.

400 Mon installation faite, l'abbé Sérapion retourna au séminaire. Je demeurai donc seul et sans autre appui que moi-même. La pensée de Clarimonde recommença à m'obséder, et, quelques efforts que je fisse pour la chasser, je n'y parvenais pas toujours. Un soir, en me promenant dans les allées bordées de buis de mon petit jardin,
405 il me sembla voir à travers la charmille[3] une forme de femme qui suivait tous mes mouvements, et entre les feuilles étinceler les deux prunelles vert de mer ; mais ce n'était qu'une illusion, et, ayant passé de l'autre côté de l'allée, je n'y trouvai rien qu'une trace de pied sur le sable, si petit qu'on eût dit un pied d'enfant. Le jardin
410 était entouré de murailles très hautes ; j'en visitai tous les coins et recoins, il n'y avait personne. Je n'ai jamais pu m'expliquer cette circonstance qui, du reste, n'était rien à côté des étranges choses qui me devaient arriver. Je vivais ainsi depuis un an, remplissant avec exactitude tous les devoirs de mon état, priant, jeûnant, exhortant
415 et secourant les malades, faisant l'aumône jusqu'à me retrancher les nécessités[4] les plus indispensables. Mais je sentais au dedans de moi une aridité extrême, et les sources de la grâce m'étaient fermées. Je ne jouissais pas de ce bonheur que donne l'accomplissement d'une sainte mission ; mon idée était ailleurs, et les paroles
420 de Clarimonde me revenaient souvent sur les lèvres comme une espèce de refrain involontaire. Ô frère, méditez bien ceci ! Pour

1. **Flattai :** caressai.
2. **Transport de joie :** mouvement de joie extrême.
3. **Charmille :** voûte de verdure.
4. **Retrancher les nécessités :** supprimer les besoins.

avoir levé une seule fois le regard sur une femme, pour une faute en apparence si légère, j'ai éprouvé pendant plusieurs années les plus misérables agitations : ma vie a été troublée à tout jamais.

425 Je ne vous retiendrai pas plus longtemps sur ces défaites et sur ces victoires intérieures toujours suivies de rechutes plus profondes, et je passerai sur-le-champ à une circonstance décisive. Une nuit l'on sonna violemment à ma porte. La vieille gouvernante alla ouvrir, et un homme au teint cuivré et richement vêtu, mais selon 430 une mode étrangère, avec un long poignard, se dessina sous les rayons de la lanterne de Barbara. Son premier mouvement fut la frayeur ; mais l'homme la rassura, et lui dit qu'il avait besoin de me voir sur-le-champ pour quelque chose qui concernait mon ministère[1]. Barbara le fit monter. J'allais me mettre au lit. L'homme 435 me dit que sa maîtresse, une très grande dame, était à l'article de la mort[2] et désirait un prêtre. Je répondis que j'étais prêt à le suivre ; je pris avec moi ce qu'il fallait pour l'extrême-onction[3] et je descendis en toute hâte. À la porte piaffaient d'impatience deux chevaux noirs comme la nuit, et soufflant sur leur poitrail deux longs flots 440 de fumée. Il me tint l'étrier et m'aida à monter sur l'un, puis il sauta sur l'autre en appuyant seulement une main sur le pommeau de la selle. Il serra les genoux et lâcha les guides à son cheval qui partit comme la flèche. Le mien, dont il tenait la bride, prit aussi le galop et se maintint dans une égalité parfaite[4]. Nous dévorions le che-445 min ; la terre filait sous nous grise et rayée, et les silhouettes noires des arbres s'enfuyaient comme une armée en déroute. Nous traversâmes une forêt d'un sombre si opaque et si glacial, que je me sentis courir sur la peau un frisson de superstitieuse terreur. Les aigrettes[5] d'étincelles que les fers de nos chevaux arrachaient aux 450 cailloux laissaient sur notre passage comme une traînée de feu, et si quelqu'un, à cette heure de nuit, nous eût vus, mon conducteur et moi, il nous eût pris pour deux spectres à cheval sur le cauchemar.

---

1. **Ministère :** sacerdoce, statut de prêtre.
2. **À l'article de la mort :** à l'agonie.
3. **L'extrême-onction :** sacrement donné aux mourants.
4. **Dans une égalité parfaite :** à la même vitesse.
5. **Aigrettes :** bouquets de plumes.

Des feux follets[1] traversaient de temps en temps le chemin, et les choucas[2] piaulaient[3] piteusement dans l'épaisseur du bois où 455 brillaient de loin en loin les yeux phosphoriques de quelques chats sauvages. La crinière des chevaux s'échevelait de plus en plus, la sueur ruisselait sur leurs flancs, et leur haleine sortait bruyante et pressée de leurs narines. Mais, quand il les voyait faiblir, l'écuyer pour les ranimer poussait un cri guttural[4] qui n'avait rien d'humain, 460 et la course recommençait avec furie. Enfin le tourbillon s'arrêta ; une masse noire piquée de quelques points brillants se dressa subitement devant nous ; les pas de nos montures sonnèrent plus bruyants sur un plancher ferré[5], et nous entrâmes sous une voûte qui ouvrait sa gueule sombre entre deux énormes tours. Une 465 grande agitation régnait dans le château ; des domestiques avec des torches à la main traversaient les cours en tous sens, et des lumières montaient et descendaient de palier en palier. J'entrevis confusément d'immenses architectures, des colonnes, des arcades, des perrons et des rampes, un luxe de construction tout à fait royal 470 et féerique. Un page nègre, le même qui m'avait donné les tablettes de Clarimonde et que je reconnus à l'instant, me vint aider à descendre, et un majordome[6], vêtu de velours noir avec une chaîne d'or au col et une canne d'ivoire à la main, s'avança au devant de moi. De grosses larmes débordaient de ses yeux et coulaient 475 le long de ses joues sur sa barbe blanche. « Trop tard ! fit-il en hochant la tête, trop tard ! seigneur prêtre ; mais, si vous n'avez pu sauver l'âme, venez veiller le pauvre corps. » Il me prit par le bras et me conduisit à la salle funèbre ; je pleurais aussi fort que lui, car j'avais compris que la morte n'était autre que cette Clarimonde 480 tant et si follement aimée. Un prie-Dieu[7] était disposé à côté du lit ;

---

1. **Feux follets :** petites flammes incontrôlables.
2. **Choucas :** oiseaux noirs, proches de la corneille.
3. **Piaulaient :** ce verbe désigne le cri strident de certains oiseaux.
4. **Guttural :** provenant du fond de la gorge.
5. **Un plancher ferré :** les planches du pont-levis d'un château fort, fixées avec des pièces de fer.
6. **Un majordome :** le maître d'hôtel d'une demeure aristocratique.
7. **Un prie-Dieu :** Sorte de chaise basse, sur laquelle on s'agenouille pour prier.

une flamme bleuâtre voltigeant sur une patère[1] de bronze jetait par toute la chambre un jour faible et douteux[2], et çà et là faisait papilloter dans l'ombre quelque arête saillante de meuble ou de corniche. Sur la table, dans une urne ciselée, trempait une rose
485 blanche fanée dont les feuilles, à l'exception d'une seule qui tenait encore, étaient toutes tombées au pied du vase comme des larmes odorantes ; un masque noir brisé, un éventail, des déguisements de toute espèce, traînaient sur les fauteuils et faisaient voir que la mort était arrivée dans cette somptueuse demeure à l'improviste et
490 sans se faire annoncer. Je m'agenouillai sans oser jeter les yeux sur le lit, et je me mis à réciter les psaumes[3] avec une grande ferveur, remerciant Dieu qu'il eût mis la tombe entre l'idée de cette femme et moi, pour que je pusse ajouter à mes prières son nom désormais sanctifié. Mais peu à peu cet élan se ralentit, et je tombai en rêve-
495 rie. Cette chambre n'avait rien d'une chambre de mort. Au lieu de l'air fétide[4] et cadavéreux que j'étais accoutumé à respirer en ces veilles funèbres, une langoureuse fumée d'essences orientales, je ne sais quelle amoureuse odeur de femme, nageait doucement dans l'air attiédi. Cette pâle lueur avait plutôt l'air d'un demi-jour
500 ménagé pour la volupté que de la veilleuse au reflet jaune qui tremblote près des cadavres. Je songeais au singulier hasard qui m'avait fait retrouver Clarimonde au moment où je la perdais pour toujours, et un soupir de regret s'échappa de ma poitrine. Il me sembla qu'on avait soupiré aussi derrière moi, et je me retournai
505 involontairement. C'était l'écho. Dans ce mouvement, mes yeux tombèrent sur le lit de parade[5] qu'ils avaient jusqu'alors évité. Les rideaux de damas[6] rouge à grandes fleurs, relevés par des torsades d'or, laissaient voir la morte couchée tout de son long et les mains jointes sur la poitrine. Elle était couverte d'un voile de lin d'une
510 blancheur éblouissante, que le pourpre sombre de la tenture faisait

1. **Une patère :** coupe dont les anciens se servaient pour les sacrifices.
2. **Un jour faible et douteux :** une lumière trop faible pour que l'on puisse distinguer les objets.
3. **Psaumes :** poèmes bibliques.
4. **Fétide :** nauséabond.
5. **Lit de parade :** lit sur lequel est exposé un mort important avant les funérailles.
6. **Damas :** étoffe de soie ornée de tissages de satin et de taffetas.

encore mieux ressortir, et d'une telle finesse qu'il ne dérobait en rien la forme charmante de son corps et permettait de suivre ces belles lignes onduleuses comme le cou d'un cygne que la mort même n'avait pu roidir. On eût dit une statue d'albâtre[1] faite par 515 quelque sculpteur habile pour mettre sur un tombeau de reine, ou encore une jeune fille endormie sur qui il aurait neigé.

Je ne pouvais plus y tenir ; cet air d'alcôve m'enivrait, cette fébrile senteur de rose à demi fanée me montait au cerveau, et je marchais à grands pas dans la chambre, m'arrêtant à chaque tour devant 520 l'estrade pour considérer la gracieuse trépassée[2] sous la transparence de son linceul. D'étranges pensées me traversaient l'esprit ; je me figurais qu'elle n'était point morte réellement, et que ce n'était qu'une feinte qu'elle avait employée pour m'attirer dans son château et me conter son amour. Un instant même je crus avoir vu bouger son pied 525 dans la blancheur des voiles, et se déranger les plis droits du suaire.

Et puis je me disais : « Est-ce bien Clarimonde ? quelle preuve en ai-je ? Ce page noir ne peut-il être passé au service d'une autre femme ? Je suis bien fou de me désoler et de m'agiter ainsi. » Mais mon cœur me répondit avec un battement : « C'est bien elle, c'est 530 bien elle. » Je me rapprochai du lit, et je regardai avec un redoublement d'attention l'objet de mon incertitude. Vous l'avouerai-je ? cette perfection de formes, quoique purifiée et sanctifiée par l'ombre de la mort, me troublait plus voluptueusement qu'il n'aurait fallu, et ce repos ressemblait tant à un sommeil que l'on s'y serait trompé. 535 J'oubliais que j'étais venu là pour un office[3] funèbre, et je m'imaginais que j'étais un jeune époux entrant dans la chambre de la fiancée qui cache sa figure par pudeur et qui ne se veut point laisser voir. Navré[4] de douleur, éperdu de joie, frissonnant de crainte et de plaisir, je me penchai vers elle et je pris le coin du drap ; je le 540 soulevai lentement en retenant mon souffle de peur de l'éveiller. Mes artères palpitaient avec une telle force, que je les sentais siffler dans mes tempes, et mon front ruisselait de sueur comme si j'eusse remué une dalle de marbre. C'était en effet la Clarimonde

1. **Albâtre :** pierre blanche translucide, proche du marbre.
2. **Trépassée :** morte.
3. **Un office :** une cérémonie, un rituel.
4. **Navré :** affligé.

telle que je l'avais vue à l'église lors de mon ordination ; elle était
545 aussi charmante, et la mort chez elle semblait une coquetterie de plus. La pâleur de ses joues, le rose moins vif de ses lèvres, ses longs cils baissés et découpant leur frange brune sur cette blancheur, lui donnaient une expression de chasteté mélancolique et de souffrance pensive d'une puissance de séduction inexprimable ;
550 ses longs cheveux dénoués, où se trouvaient encore mêlées quelques petites fleurs bleues, faisaient un oreiller à sa tête et protégeaient de leurs boucles la nudité de ses épaules ; ses belles mains, plus pures, plus diaphanes que des hosties, étaient croisées dans une attitude de pieux repos et de tacite prière, qui corrigeait ce
555 qu'auraient pu avoir de trop séduisant, même dans la mort, l'exquise rondeur et le poli[1] d'ivoire de ses bras nus dont on n'avait pas ôté les bracelets de perles. Je restai longtemps absorbé dans une muette contemplation, et, plus je la regardais, moins je pouvais croire que la vie avait pour toujours abandonné ce beau corps.
560 Je ne sais si cela était une illusion ou un reflet de la lampe, mais on eût dit que le sang recommençait à circuler sous cette mate pâleur ; cependant elle était toujours de la plus parfaite immobilité. Je touchai légèrement son bras ; il était froid, mais pas plus froid pourtant que sa main le jour qu'elle avait effleuré la mienne
565 sous le portail de l'église. Je repris ma position, penchant ma figure sur la sienne et laissant pleuvoir sur ses joues la tiède rosée de mes larmes. Ah ! quel sentiment amer de désespoir et d'impuissance ! quelle agonie que cette veille[2] ! j'aurais voulu pouvoir ramasser ma vie en un monceau pour la lui donner et souffler sur sa dépouille
570 glacée la flamme qui me dévorait. La nuit s'avançait, et, sentant approcher le moment de la séparation éternelle, je ne pus me refuser cette triste et suprême douceur de déposer un baiser sur les lèvres mortes de celle qui avait eu tout mon amour. Ô prodige ! un léger souffle se mêla à mon souffle, et la bouche de Clarimonde répon-
575 dit à la pression de la mienne : ses yeux s'ouvrirent et reprirent un peu d'éclat, elle fit un soupir, et, décroisant ses bras, elle les passa derrière mon cou avec un air de ravissement ineffable. « Ah ! c'est toi, Romuald, dit-elle d'une voix languissante et douce comme les

---

1. **Le poli :** l'aspect policé, lustré, étincelant.
2. **Veille :** veillée funèbre.

dernières vibrations d'une harpe ; que fais-tu donc ? Je t'ai attendu
580 si longtemps, que je suis morte ; mais maintenant nous sommes fiancés, je pourrai te voir et aller chez toi. Adieu, Romuald, adieu ! je t'aime ; c'est tout ce que je voulais te dire, et je te rends la vie que tu as rappelée sur moi une minute avec ton baiser ; à bientôt. »

Sa tête retomba en arrière, mais elle m'entourait toujours de
585 ses bras comme pour me retenir. Un tourbillon de vent furieux défonça la fenêtre et entra dans la chambre ; la dernière feuille de la rose blanche palpita quelque temps comme une aile a bout de la tige, puis elle se détacha et s'envola par la croisée ouverte, emportant avec elle l'âme de Clarimonde. La lampe s'éteignit et je tombai
590 évanoui sur le sein de la belle morte.

Quand je revins à moi, j'étais couché sur mon lit, dans ma petite chambre du presbytère, et le vieux chien de l'ancien curé léchait ma main allongée hors de la couverture. Barbara s'agitait dans la chambre avec un tremblement sénile[1], ouvrant et fermant des
595 tiroirs, ou remuant des poudres dans des verres. En me voyant ouvrir les yeux, la vieille poussa un cri de joie, le chien jappa et frétilla de la queue ; mais j'étais si faible, que je ne pus prononcer une seule parole ni faire aucun mouvement. J'ai su depuis que j'étais resté trois jours ainsi, ne donnant d'autre signe d'existence
600 qu'une respiration presque insensible. Ces trois jours ne comptent pas dans ma vie, et je ne sais où mon esprit était allé pendant tout ce temps ; je n'en ai gardé aucun souvenir. Barbara m'a conté que le même homme au teint cuivré, qui m'était venu chercher pendant la nuit, m'avait ramené le matin dans une litière[2] fermée et s'en était
605 retourné aussitôt. Dès que je pus rappeler mes idées, je repassai en moi-même toutes les circonstances de cette nuit fatale. D'abord je pensai que j'avais été le jouet d'une illusion magique ; mais des circonstances réelles et palpables détruisirent bientôt cette supposition. Je ne pouvais croire que j'avais rêvé, puisque Barbara avait vu
610 comme moi l'homme aux deux chevaux noirs et qu'elle en décrivait l'ajustement et la tournure avec exactitude. Cependant personne ne connaissait dans les environs un château auquel s'appliquât la description du château où j'avais retrouvé Clarimonde.

---

1. **Sénile :** caractéristique d'un vieillard.
2. **Litière :** lit ambulant, civière.

Un matin je vis entrer l'abbé Sérapion. Barbara lui avait mandé[1] que j'étais malade, et il était accouru en toute hâte. Quoique cet empressement démontrât de l'affection et de l'intérêt pour ma personne, sa visite ne me fit pas le plaisir qu'elle m'aurait dû faire. L'abbé Sérapion avait dans le regard quelque chose de pénétrant et d'inquisiteur qui me gênait. Je me sentais embarrassé et coupable devant lui. Le premier il avait découvert mon trouble intérieur, et je lui en voulais de sa clairvoyance.

Tout en me demandant des nouvelles de ma santé d'un ton hypocritement mielleux[2], il fixait sur moi ses deux jaunes prunelles de lion et plongeait comme une sonde ses regards dans mon âme. Puis il me fit quelques questions sur la manière dont je dirigeais ma cure, si je m'y plaisais, à quoi je passais le temps que mon ministère me laissait libre, si j'avais fait quelques connaissances parmi les habitants du lieu, quelles étaient mes lectures favorites, et mille autres détails semblables. Je répondais à tout cela le plus brièvement possible, et lui-même sans attendre que j'eusse achevé, passait à autre chose. Cette conversation n'avait évidemment aucun rapport avec ce qu'il voulait dire. Puis, sans préparation aucune, et comme une nouvelle dont il se souvenait à l'instant et qu'il eût craint d'oublier ensuite, il me dit d'une voix claire et vibrante qui résonna à mon oreille comme les trompettes du jugement dernier[3] :

« La grande courtisane Clarimonde est morte dernièrement, à la suite d'une orgie[4] qui a duré huit jours et huit nuits. Ç'a été quelque chose d'infernalement splendide. On a renouvelé là les abominations des festins de Balthazar[5] et de Cléopâtre[6]. Dans quel siècle vivons-nous, bon Dieu ! Les convives étaient servis par des

1. **Lui avait mandé :** lui avait fait savoir.
2. **Mielleux :** doucereux, qui a une gentillesse affectée.
3. **Les trompettes du jugement dernier :** le jugement dernier est le jugement que Dieu prononcera à la fin du monde, et qui décidera du sort de tous les hommes ; les trompettes en sont l'annonce.
4. **Une orgie :** une série de débauches.
5. **Balthazar :** on raconte que ce roi de Babylonie a donné un immense festin au cours duquel une main mystérieuse écrivit sur les murs du palais l'annonciation de la fin de l'Empire babylonien.
6. **Cléopâtre :** reine d'Égypte (69-30 av. J.-C.), célèbre pour ses amours.

esclaves basanés parlant un langage inconnu et qui m'ont tout l'air de vrais démons ; la livrée[1] du moindre d'entre eux eût pu servir d'habit de gala à un empereur. Il a couru de tout temps sur cette Clarimonde de bien étranges histoires, et tous ses amants ont fini d'une manière misérable ou violente. On a dit que c'était une goule[2], un vampire femelle ; mais je crois que c'était Belzébuth[3] en personne. »

Il se tut et m'observa plus attentivement que jamais, pour voir l'effet que ses paroles avaient produit sur moi. Je n'avais pu me défendre d'un mouvement en entendant nommer Clarimonde, et cette nouvelle de sa mort, outre la douleur qu'elle me causait par son étrange coïncidence avec la scène nocturne dont j'avais été témoin, me jeta dans un trouble et un effroi qui parurent sur ma figure, quoi que je fisse pour m'en rendre maître. Sérapion me jeta un coup d'œil inquiet et sévère ; puis il me dit : « Mon fils, je dois vous en avertir, vous avez le pied levé sur un abîme, prenez garde d'y tomber. Satan a la griffe longue, et les tombeaux ne sont pas toujours fidèles. La pierre de Clarimonde devrait être scellée d'un triple sceau ; car ce n'est pas, à ce qu'on dit, la première fois qu'elle est morte. Que Dieu veille sur vous, Romuald ! »

Après avoir dit ces mots, Sérapion regagna la porte à pas lents, et je ne le revis plus ; car il partit pour S*** presque aussitôt.

J'étais entièrement rétabli et j'avais repris mes fonctions habituelles. Le souvenir de Clarimonde et les paroles du vieil abbé étaient toujours présents à mon esprit ; cependant aucun événement extraordinaire n'était venu confirmer les prévisions funèbres de Sérapion, et je commençais à croire que ses craintes et mes terreurs étaient trop exagérées ; mais une nuit je fis un rêve. J'avais à peine bu les premières gorgées du sommeil, que j'entendis ouvrir les rideaux de mon lit et glisser les anneaux sur les tringles avec un bruit éclatant ; je me soulevai brusquement sur le coude, et je vis une ombre de femme qui se tenait debout devant moi. Je reconnus sur-le-champ Clarimonde. Elle portait à la main une

1. **La livrée :** l'uniforme des domestiques masculins d'une maison.
2. **Une goule :** un démon femelle qui hante les cimetières.
3. **Belzébuth :** le diable ; ce nom désigne le prince des démons dans l'Ancien Testament.

petite lampe de la forme de celles qu'on met dans les tombeaux,
675 dont la lueur donnait à ses doigts effilés une transparence rose qui se prolongeait par une dégradation insensible jusque dans la blancheur opaque et laiteuse de son bras nu. Elle avait pour tout vêtement le suaire de lin qui la recouvrait sur son lit de parade, dont elle retenait les plis sur sa poitrine, comme honteuse d'être si
680 peu vêtue, mais sa petite main n'y suffisait pas, elle était si blanche, que la couleur de la draperie se confondait avec celle des chairs sous le pâle rayon de la lampe. Enveloppée de ce fin tissu qui trahissait tous les contours de son corps, elle ressemblait à une statue de marbre de baigneuse antique plutôt qu'à une femme douée de
685 vie. Morte ou vivante, statue ou femme, ombre ou corps, sa beauté était toujours la même ; seulement l'éclat vert de ses prunelles était un peu amorti[1], et sa bouche, si vermeille autrefois, n'était plus teintée que d'un rose faible et tendre presque semblable à celui de ses joues. Les petites fleurs bleues que j'avais remarquées
690 dans ses cheveux étaient tout à fait sèches et avaient presque perdu toutes leurs feuilles ; ce qui ne l'empêchait pas d'être charmante, si charmante que, malgré la singularité de l'aventure et la façon inexplicable dont elle était entrée dans la chambre, je n'eus pas un instant de frayeur.

695 Elle posa la lampe sur la table et s'assit sur le pied de mon lit, puis elle me dit en se penchant vers moi avec cette voix argentine[2] et veloutée à la fois que je n'ai connue qu'à elle :

« Je me suis bien fait attendre, mon cher Romuald, et tu as dû croire que je t'avais oublié. Mais je viens de bien loin, et d'un
700 endroit d'où personne n'est encore revenu : il n'y a ni lune ni soleil au pays d'où j'arrive ; ce n'est que de l'espace et de l'ombre ; ni chemin, ni sentier ; point de terre pour le pied, point d'air pour l'aile ; et pourtant me voici, car l'amour est plus fort que la mort, et il finira par la vaincre. Ah ! que de faces mornes et de choses ter-
705 ribles j'ai vues dans mon voyage ! Que de peine mon âme, rentrée dans ce monde par la puissance de la volonté, a eue pour retrouver son corps et s'y réinstaller ! Que d'efforts il m'a fallu faire avant de lever la dalle dont on m'avait couverte ! Tiens ! le dedans de mes

1. **Amorti** : affaibli.
2. **Argentine** : claire comme de l'argent.

pauvres mains en est tout meurtri. Baise-les pour les guérir, cher
710 amour ! » Elle m'appliqua l'une après l'autre les paumes froides de ses mains sur la bouche ; je les baisai en effet plusieurs fois, et elle me regardait faire avec un sourire d'ineffable complaisance.

Je l'avoue à ma honte, j'avais totalement oublié les avis de l'abbé Sérapion et le caractère dont j'étais revêtu. J'étais tombé sans résis-
715 tance et au premier assaut. Je n'avais pas même essayé de repousser le tentateur[1] ; la fraîcheur de la peau de Clarimonde pénétrait la mienne, et je me sentais courir sur le corps de voluptueux frissons. La pauvre enfant ! malgré tout ce que j'en ai vu, j'ai peine à croire encore que ce fût un démon ; du moins elle n'en avait
720 pas l'air, et jamais Satan n'a mieux caché ses griffes et ses cornes. Elle avait reployé ses talons sous elle et se tenait accroupie sur le bord de la couchette[2] dans une position pleine de coquetterie nonchalante. De temps en temps elle passait sa petite main à travers mes cheveux et les roulait en boucles comme pour essayer à
725 mon visage de nouvelles coiffures. Je me laissais faire avec la plus coupable complaisance, et elle accompagnait tout cela du plus charmant babil[3]. Une chose remarquable, c'est que je n'éprouvais aucun étonnement d'une aventure aussi extraordinaire, et, avec cette facilité que l'on a dans la vision d'admettre comme fort simples
730 les événements les plus bizarres, je ne voyais rien là que de parfaitement naturel.

« Je t'aimais bien longtemps avant de t'avoir vu, mon cher Romuald, et je te cherchais partout. Tu étais mon rêve, et je t'ai aperçu dans l'église au fatal moment ; j'ai dit tout de suite « C'est
735 lui ! » Je te jetai un regard où je mis tout l'amour que j'avais eu, que j'avais et que je devais avoir pour toi ; un regard à damner un cardinal, à faire agenouiller un roi à mes pieds devant toute sa cour. Tu restas impassible et tu me préféras ton Dieu.

« Ah ! que je suis jalouse de Dieu, que tu as aimé et que tu aimes
740 encore plus que moi !

« Malheureuse, malheureuse que je suis ! je n'aurai jamais ton cœur à moi toute seule, moi que tu as ressuscitée d'un baiser,

---

1. **Le tentateur :** le diable.
2. **La couchette :** le lit.
3. **Babil :** conversation gracieuse.

Clarimonde la morte, qui force à cause de toi les portes du tombeau et qui vient te consacrer une vie qu'elle n'a reprise que pour
745 te rendre heureux ! »

Toutes ces paroles étaient entrecoupées de caresses délirantes qui étourdirent mes sens et ma raison au point que je ne craignis point pour la consoler de proférer un effroyable blasphème, et de lui dire que je l'aimais autant que Dieu. Ses prunelles se ravivèrent
750 et brillèrent comme des chrysoprases[1]. « Vrai ! bien vrai ! autant que Dieu ! dit-elle en m'enlaçant dans ses beaux bras. Puisque c'est ainsi, tu viendras avec moi, tu me suivras où je voudrai. Tu laisseras tes vilains habits noirs. Tu seras le plus fier et le plus envié des cavaliers, tu seras mon amant. Être l'amant avoué de Clarimonde,
755 qui a refusé un pape, c'est beau, cela ! Ah ! la bonne vie bien heureuse, la belle existence dorée que nous mènerons ! Quand partons-nous, mon gentilhomme ?

– Demain ! demain ! m'écriai-je dans mon délire.

– Demain, soit ! reprit-elle. J'aurai le temps de changer de toilette,
760 car celle-ci est un peu succincte et ne vaut rien pour le voyage. Il faut aussi que j'aille avertir mes gens qui me croient sérieusement morte et qui se désolent tant qu'ils peuvent. L'argent, les habits, les voitures, tout sera prêt ; je te viendrai prendre à cette heure-ci. Adieu, cher cœur. » Et elle effleura mon front du bout de ses
765 lèvres. La lampe s'éteignit, les rideaux se refermèrent, et je ne vis plus rien ; un sommeil de plomb, un sommeil sans rêve s'appesantit sur moi et me tint engourdi jusqu'au lendemain matin. Je me réveillai plus tard que de coutume, et le souvenir de cette singulière vision m'agita toute la journée ; je finis par me persuader que
770 c'était une pure vapeur de mon imagination[2] échauffée. Cependant les sensations avaient été si vives, qu'il était difficile de croire qu'elles n'étaient pas réelles, et ce ne fut pas sans quelque appréhension de ce qui allait arriver que je me mis au lit, après avoir prié Dieu d'éloigner de moi les mauvaises pensées et de protéger la chasteté
775 de mon sommeil.

Je m'endormis bientôt profondément, et mon rêve se continua. Les rideaux s'écartèrent, et je vis Clarimonde, non pas, comme la première

---

1. **Chrysoprases** : pierres précieuses de couleur vert pomme.
2. **Une pure vapeur de mon imagination** : une création vaine de mon imagination.

fois, pâle dans son pâle suaire et les violettes de la mort sur les joues, mais gaie, leste et pimpante, avec un superbe habit de voyage en
780 velours vert orné de ganses[1] d'or et retroussé sur le côté pour laisser voir une jupe de satin. Ses cheveux blonds s'échappaient en grosses boucles de dessous un large chapeau de feutre noir chargé de plumes blanches capricieusement contournées[2] ; elle tenait à la main une petite cravache terminée par un sifflet d'or. Elle m'en toucha légère-
785 ment et me dit : « Eh bien ! beau dormeur, est-ce ainsi que vous faites vos préparatifs ? Je comptais vous trouver debout. Levez-vous bien vite, nous n'avons pas de temps à perdre. » Je sautai à bas du lit.

« Allons, habillez-vous et partons, dit-elle en me montrant du doigt un petit paquet qu'elle avait apporté ; les chevaux s'ennuient
790 et rongent leur frein[3] à la porte. Nous devrions déjà être à dix lieues d'ici. »

Je m'habillai en hâte, et elle me tendait elle-même les pièces du vêtement, en riant aux éclats de ma gaucherie, et en m'indiquant leur usage quand je me trompais. Elle donna du tour[4] à
795 mes cheveux, et, quand ce fut fait, elle me tendit un petit miroir de poche en cristal de Venise, bordé d'un filigrane[5] d'argent, et me dit : « Comment te trouves-tu ? veux-tu me prendre à ton service comme valet de chambre ? »

Je n'étais plus le même, et je ne me reconnus pas. Je ne me res-
800 semblais pas plus qu'une statue achevée ne ressemble à un bloc de pierre. Mon ancienne figure avait l'air de n'être que l'ébauche grossière de celle que réfléchissait le miroir. J'étais beau, et ma vanité fut sensiblement chatouillée de cette métamorphose. Ces élégants habits, cette riche veste brodée, faisaient de moi un tout autre
805 personnage, et j'admirais la puissance de quelques aunes[6] d'étoffe taillées d'une certaine manière. L'esprit de mon costume me pénétrait la peau, et au bout de dix minutes j'étais passablement fat[7].

---

1. **Ganses :** boutonnières ornées de pierres précieuses ou de rubans.
2. **Contournées :** qui présentent des courbes nombreuses et compliquées.
3. **Rongent leurs freins :** maîtrisent difficilement leur impatience.
4. **Du tour :** du mouvement.
5. **Un filigrane :** une broderie de métal.
6. **Aunes :** anciennes mesures de longueur correspondant à un peu plus d'un mètre.
7. **Fat :** prétentieux.

Je fis quelques tours par la chambre pour me donner de l'aisance. Clarimonde me regardait d'un air de complaisance maternelle et 810 paraissait très contente de son œuvre. « Voilà bien assez d'enfantillage, en route mon cher Romuald ! nous allons loin et nous n'arriverons pas. » Elle me prit la main et m'entraîna. Toutes les portes s'ouvraient devant elle aussitôt qu'elle les touchait, et nous passâmes devant le chien sans l'éveiller.

815 À la porte, nous trouvâmes Margheritone ; c'était l'écuyer qui m'avait déjà conduit ; il tenait en bride trois chevaux noirs comme les premiers, un pour moi, un pour lui, un pour Clarimonde. Il fallait que ces chevaux fussent[1] des genets[2] d'Espagne, nés de juments fécondées par le zéphyr[3] ; car ils allaient aussi vite que le 820 vent, et la lune, qui s'était levée à notre départ pour nous éclairer, roulait dans le ciel comme une roue détachée de son char ; nous la voyions à notre droite sauter d'arbre en arbre et s'essouffler pour courir après nous. Nous arrivâmes bientôt dans une plaine où, auprès d'un bosquet d'arbres, nous attendait une voiture attelée 825 de quatre vigoureuses bêtes ; nous y montâmes, et les postillons[4] leur firent prendre un galop insensé. J'avais un bras passé derrière la taille de Clarimonde et une de ses mains ployée dans la mienne ; elle appuyait sa tête à mon épaule, et je sentais sa gorge[5] demi-nue frôler mon bras. Jamais je n'avais éprouvé un bonheur aussi vif. 830 J'avais oublié tout en ce moment-là, et je ne me souvenais pas plus d'avoir été prêtre que de ce que j'avais fait dans le sein de ma mère, tant était grande la fascination que l'esprit malin[6] exerçait sur moi. À dater de cette nuit, ma nature s'est en quelque sorte dédoublée, et il y eut en moi deux hommes dont l'un ne connaissait pas 835 l'autre. Tantôt je me croyais un prêtre qui rêvait chaque soir qu'il était gentilhomme, tantôt un gentilhomme qui rêvait qu'il était prêtre. Je ne pouvais plus distinguer le songe de la veille, et je ne

---

1. **Il fallait que ces chevaux fussent :** ces chevaux étaient très certainement.
2. **Genets :** petits chevaux de race espagnole.
3. **Le zéphyr :** un vent. Gautier reprend ici une image du poète latin Virgile (*Les Géorgiques*, III, v. 272-275), celle des juments fécondées par le vent.
4. **Les postillons :** les cochers.
5. **Sa gorge :** son décolleté, la naissance de sa poitrine.
6. **L'esprit malin :** le diable.

savais pas où commençait la réalité et où finissait l'illusion. Le jeune seigneur fat et libertin[1] se raillait[2] du prêtre, le prêtre détes-
840 tait les dissolutions du jeune seigneur. Deux spirales enchevêtrées l'une dans l'autre et confondues sans se toucher jamais représentent très bien cette vie bicéphale[3] qui fut la mienne. Malgré l'étrangeté de cette position, je ne crois pas avoir un seul instant touché à la folie. J'ai toujours conservé très nettes les perceptions de mes deux
845 existences. Seulement, il y avait un fait absurde que je ne pouvais m'expliquer : c'est que le sentiment du même moi existât dans deux hommes si différents. C'était une anomalie dont je ne me rendais pas compte, soit que je crusse être le curé du petit village de ***, ou *il signor Romualdo*, amant en titre de la Clarimonde.
850 Toujours est-il que j'étais ou du moins que je croyais être à Venise ; je n'ai pu encore bien démêler ce qu'il y avait d'illusion et de réalité dans cette bizarre aventure. Nous habitions un grand palais de marbre sur le Canaleio[4], plein de fresques et de statues, avec deux Titiens[5] du meilleur temps[6] dans la chambre à coucher
855 de la Clarimonde, un palais digne d'un roi. Nous avions chacun notre gondole et nos barcarolles[7] à notre livrée[8], notre chambre de musique et notre poète. Clarimonde entendait la vie d'une grande manière, et elle avait un peu de Cléopâtre dans sa nature. Quant à moi, je menais un train[9] de fils de prince, et je faisais une
860 poussière[10] comme si j'eusse été de la famille de l'un des douze apôtres ou des quatre évangélistes de la sérénissime république[11] ; je ne me serais pas détourné de mon chemin pour laisser passer le

1. **Libertin :** amateur raffiné de plaisirs charnels, qui s'y livre sans retenue.
2. **Se raillait :** se moquait.
3. **Bicéphale :** qui a deux têtes.
4. **Le Canaleio :** ce lieu n'existe pas à Venise, et provient sans doute d'une erreur ou d'une faute d'impression ; Gautier veut probablement désigner le Grand Canal.
5. **Deux Titiens :** deux tableaux du Titien, grand peintre vénitien (1490-1576).
6. **Du meilleur temps :** de la meilleure période.
7. **Nos barcarolles :** normalement ce mot désigne les chansons que chantent les gondoliers de Venise ; il réfère ici aux gondoliers eux-mêmes.
8. **À notre livrée :** marqué du blason ou des armes d'une grande maison.
9. **Un train :** un train de vie.
10. **Je faisais une poussière :** je me pavanais.
11. **La sérénissime république :** la république de Venise.

Vénus avec un cupidon et un organiste, Le Titien, XVIe siècle.

doge[1], et je ne crois pas que, depuis Satan qui tomba du ciel, personne ait été plus orgueilleux et plus insolent que moi. J'allais au Ridotto[2], et je jouais un jeu d'enfer. Je voyais la meilleure société du monde, des fils de famille ruinés, des femmes de théâtre, des escrocs, des parasites et des spadassins[3]. Cependant, malgré la dissipation de cette vie, je restai fidèle à la Clarimonde. Je l'aimais éperdument. Elle eût réveillé la satiété même et fixé l'inconstance. Avoir Clarimonde, c'était avoir vingt maîtresses, c'était avoir toutes les femmes, tant elle était mobile, changeante et dissemblable d'elle-même ; un vrai caméléon ! Elle vous faisait commettre avec elle l'infidélité que vous eussiez commise avec d'autres, en prenant complètement le caractère, l'allure et le genre de beauté de la femme qui paraissait vous plaire. Elle me rendait mon amour au centuple, et c'est en vain que les jeunes patriciens[4] et même les vieux du conseil des Dix[5] lui firent les plus magnifiques propositions. Un Foscari[6] alla même jusqu'à lui proposer de l'épouser ; elle refusa tout. Elle avait assez d'or ; elle ne voulait plus que de l'amour, un amour jeune, pur, éveillé par elle, et qui devait être le premier et le dernier. J'aurais été parfaitement heureux sans un maudit cauchemar qui revenait toutes les nuits, et où je me croyais un curé de village se macérant[7] et faisant pénitence de mes excès du jour. Rassuré par l'habitude d'être avec elle, je ne songeais presque plus à la façon étrange dont j'avais fait connaissance avec Clarimonde. Cependant, ce qu'en avait dit l'abbé Sérapion me revenait quelquefois en mémoire et ne laissait pas que de[8] me donner de l'inquiétude.

---

1. **Le doge :** chef de l'ancienne république de Venise.
2. **Ridotto :** salle de jeu très fréquentée à Venise au XVIIIe siècle.
3. **Spadassins :** qui se battent volontiers en duel.
4. **Patriciens :** nobles.
5. **Conseil des Dix :** organe du gouvernement vénitien, dont le pouvoir fut immense jusqu'à la fin du XVIIIe siècle.
6. **Un Foscari :** un membre de la famille Foscari, l'une des familles les plus anciennes de Venise.
7. **Se macérant :** s'imposant des mortifications, se punissant.
8. **Ne laissait pas que de :** ne cessait de.

Depuis quelque temps la santé de Clarimonde n'était pas aussi
890 bonne ; son teint s'amortissait[1] de jour en jour. Les médecins qu'on fit venir n'entendaient rien[2] à sa maladie, et ils ne savaient qu'y faire. Ils prescrivirent quelques remèdes insignifiants et ne revinrent plus. Cependant elle pâlissait à vue d'œil et devenait de plus en plus froide. Elle était presque aussi blanche et aussi morte que la
895 fameuse nuit dans le château inconnu. Je me désolais de la voir ainsi lentement dépérir. Elle, touchée de ma douleur, me souriait doucement et tristement avec le sourire fatal[3] des gens qui savent qu'ils vont mourir.

Un matin, j'étais assis auprès de son lit, et je déjeunais sur une
900 petite table pour ne la pas quitter d'une minute. En coupant un fruit, je me fis par hasard au doigt une entaille assez profonde. Le sang partit aussitôt en filets pourpres, et quelques gouttes rejaillirent sur Clarimonde. Ses yeux s'éclairèrent, sa physionomie prit une expression de joie féroce et sauvage que je ne lui avais jamais
905 vue. Elle sauta à bas du lit avec une agilité animale, une agilité de singe ou de chat, et se précipita sur ma blessure qu'elle se mit à sucer avec un air d'indicible volupté. Elle avalait le sang par petites gorgées, lentement et précieusement, comme un gourmet qui savoure un vin de Xérès ou de Syracuse[4] ; elle clignait les yeux à
910 demi, et la pupille de ses prunelles vertes était devenue oblongue au lieu de ronde. De temps à autre elle s'interrompait pour me baiser la main, puis elle recommençait à presser de ses lèvres les lèvres de la plaie pour en faire sortir encore quelques gouttes rouges. Quand elle vit que le sang ne venait plus, elle se releva l'œil
915 humide et brillant, plus rose qu'une aurore de mai, la figure pleine, la main tiède et moite, enfin plus belle que jamais et dans un état parfait de santé.

« Je ne mourrai pas ! je ne mourrai pas ! dit-elle à moitié folle de joie et en se pendant à mon cou ; je pourrai t'aimer encore long-
920 temps. Ma vie est dans la tienne, et tout ce qui est moi vient de toi.

---

1. **S'amortissait :** se fanait.
2. **N'entendaient rien :** ne comprenaient rien.
3. **Fatal :** qui est signe de mort.
4. **Vin de Xérès ou de Syracuse :** vin précieux, venant de Xérès (en Espagne) ou de Syracuse (en Sicile).

Quelques gouttes de ton riche et noble sang, plus précieux et plus efficace que tous les élixirs[1] du monde, m'ont rendu l'existence. »

Cette scène me préoccupa longtemps et m'inspira d'étranges doutes à l'endroit de Clarimonde, et le soir même, lorsque le sommeil m'eut ramené à mon presbytère, je vis l'abbé Sérapion plus grave et plus soucieux que jamais. Il me regarda attentivement et me dit : « Non content de perdre votre âme, vous voulez aussi perdre votre corps. Infortuné jeune homme, dans quel piège êtes-vous tombé ! » Le ton dont il me dit ce peu de mots me frappa vivement ; mais, malgré sa vivacité, cette impression fut bientôt dissipée, et mille autres soins[2] l'effacèrent de mon esprit. Cependant, un soir, je vis dans ma glace, dont elle n'avait pas calculé la perfide position, Clarimonde qui versait une poudre dans la coupe de vin épicé qu'elle avait coutume de préparer après le repas. Je pris la coupe, je feignis d'y porter mes lèvres, et je la posai sur quelque meuble comme pour l'achever plus tard à mon loisir, et, profitant d'un instant où la belle avait le dos tourné, j'en jetai le contenu sous la table ; après quoi je me retirai dans ma chambre et je me couchai, bien déterminé à ne pas dormir et à voir ce que tout cela deviendrait. Je n'attendis pas longtemps ; Clarimonde entra en robe de nuit, et, s'étant débarrassée de ses voiles, s'allongea dans le lit auprès de moi. Quand elle se fut bien assurée que je dormais, elle découvrit mon bras et tira une épingle d'or de sa tête ; puis elle se mit à murmurer à voix basse :

« Une goutte, rien qu'une petite goutte rouge, un rubis au bout de mon aiguille !... Puisque tu m'aimes encore, il ne faut pas que je meure... Ah ! pauvre amour, ton beau sang d'une couleur pourpre si éclatante, je vais le boire. Dors, mon seul bien ; dors, mon dieu, mon enfant ; je ne te ferai pas de mal, je ne prendrai de ta vie que ce qu'il faudra pour ne pas laisser éteindre la mienne. Si je ne t'aimais pas tant, je pourrais me résoudre à avoir d'autres amants dont je tarirais les veines ; mais depuis que je te connais, j'ai tout le monde en horreur... Ah ! le beau bras ! comme il est rond ! comme il est blanc ! Je n'oserai jamais piquer cette jolie veine bleue. » Et, tout en disant cela, elle pleurait, et je sentais pleuvoir ses larmes

1. **Les élixirs :** les potions magiques.
2. **Soins :** pensées qui occupent l'esprit.

sur mon bras qu'elle tenait entre ses mains. Enfin elle se décida, me fit une petite piqûre avec son aiguille et se mit à pomper le sang qui en coulait. Quoiqu'elle en eût bu à peine quelques gouttes, la crainte de m'épuiser la prenant, elle m'entoura avec soin le bras 960 d'une petite bandelette après avoir frotté la plaie d'un onguent[1] qui la cicatrisa sur-le-champ.

Je ne pouvais plus avoir de doutes, l'abbé Sérapion avait raison. Cependant, malgré cette certitude, je ne pouvais m'empêcher d'aimer Clarimonde, et je lui aurais volontiers donné tout le 965 sang dont elle avait besoin pour soutenir son existence factice. D'ailleurs, je n'avais pas grand-peur ; la femme me répondait du vampire, et ce que j'avais entendu et vu me rassurait complètement ; j'avais alors des veines plantureuses qui ne se seraient pas de sitôt épuisées, et je ne marchandais pas ma vie goutte à goutte. 970 Je me serais ouvert le bras moi-même et je lui aurais dit : « Bois ! et que mon amour s'infiltre dans ton corps avec mon sang ! » J'évitais de faire la moindre allusion au narcotique[2] qu'elle m'avait versé et à la scène de l'aiguille, et nous vivions dans le plus parfait accord. Pourtant mes scrupules de prêtre me tourmentaient plus 975 que jamais, et je ne savais quelle macération nouvelle inventer pour mater[3] et mortifier ma chair. Quoique toutes ces visions fussent involontaires et que je n'y participasse en rien, je n'osais pas toucher le Christ avec des mains aussi impures et un esprit souillé par de pareilles débauches réelles ou rêvées. Pour éviter de tomber 980 dans ces fatigantes hallucinations, j'essayais de m'empêcher de dormir, je tenais mes paupières ouvertes avec les doigts et je restais debout au long des murs, luttant contre le sommeil de toutes mes forces ; mais le sable de l'assoupissement me roulait bientôt dans les yeux, et, voyant que toute lutte était inutile, je laissais tomber 985 les bras de découragement et de lassitude, et le courant me rentraînait[4] vers les rives perfides. Sérapion me faisait les plus véhémentes exhortations, et me reprochait durement ma mollesse et mon peu de ferveur. Un jour que j'avais été plus agité qu'à l'ordinaire, il

1. **Un onguent :** une pommade.
2. **Narcotique :** somnifère.
3. **Mater :** dompter, maîtriser.
4. **Me rentraînait :** m'entraînait de nouveau.

me dit : « Pour vous débarrasser de cette obsession, il n'y a qu'un
990 moyen, et, quoiqu'il soit extrême, il le faut employer : aux grands maux les grands remèdes. Je sais où Clarimonde a été enterrée ; il faut que nous la déterrions et que vous voyiez dans quel état pitoyable est l'objet de votre amour ; vous ne serez plus tenté de perdre votre âme pour un cadavre immonde dévoré des vers et
995 près de tomber en poudre ; cela vous fera assurément rentrer en vous-même. » Pour moi, j'étais si fatigué de cette double vie, que j'acceptai : voulant savoir, une fois pour toutes, qui du prêtre ou du gentilhomme était dupe d'une illusion, j'étais décidé à tuer au profit de l'un ou de l'autre un des deux hommes qui étaient
1000 en moi ou à les tuer tous deux, car une pareille vie ne pouvait durer. L'abbé Sérapion se munit d'une pioche, d'un levier et d'une lanterne, et à minuit nous nous dirigeâmes vers le cimetière de ***, dont il connaissait parfaitement le gisement et la disposition. Après avoir porté la lumière de la lanterne sourde sur les inscriptions de
1005 plusieurs tombeaux, nous arrivâmes enfin à une pierre à moitié cachée par les grandes herbes et dévorée de mousses et de plantes parasites, où nous déchiffrâmes ce commencement d'inscription :

Ici gît Clarimonde
Qui fut de son vivant
1010 *La plus belle du monde.*
...

« C'est bien ici », dit Sérapion, et, posant à terre sa lanterne, il glissa la pince dans l'interstice de la pierre et commença à soulever. La pierre céda, et il se mit à l'ouvrage avec la pioche. Moi, je le regardais faire, plus noir et plus silencieux que la nuit elle-même ;
1015 quant à lui, courbé sur son œuvre funèbre[1], il ruisselait de sueur, il haletait, et son souffle pressé avait l'air d'un râle[2] d'agonisant. C'était un spectacle étrange, et qui nous eût vus du dehors nous eût plutôt pris pour des profanateurs et des voleurs de linceuls, que pour des prêtres de Dieu. Le zèle[3] de Sérapion avait quelque

1. **Son œuvre funèbre :** son travail consistant à tuer.
2. **Un râle :** un gémissement d'agonie.
3. **Le zèle :** l'empressement, l'application.

1020 chose de dur et de sauvage qui le faisait ressembler à un démon plutôt qu'à un apôtre ou à un ange, et sa figure aux grands traits austères et profondément découpés par le reflet de la lanterne n'avait rien de très rassurant. Je me sentais perler sur les membres une sueur glaciale, et mes cheveux se redressaient douloureu-
1025 sement sur ma tête ; je regardais au fond de moi-même l'action du sévère Sérapion comme un abominable sacrilège, et j'aurais voulu que du flanc des sombres nuages qui roulaient pesamment au-dessus de nous sortît un triangle de feu qui le réduisît en poudre. Les hiboux perchés sur les cyprès, inquiétés par l'éclat de la lan-
1030 terne, en venaient fouetter lourdement la vitre avec leurs ailes poussiéreuses, en jetant des gémissements plaintifs ; les renards glapissaient dans le lointain, et mille bruits sinistres se dégageaient du silence. Enfin la pioche de Sérapion heurta le cercueil dont les planches retentirent avec un bruit sourd et sonore, avec ce terrible
1035 bruit que rend le néant quand on y touche ; il en renversa le couvercle, et j'aperçus Clarimonde pâle comme un marbre, les mains jointes ; son blanc suaire ne faisait qu'un seul pli de sa tête à ses pieds. Une petite goutte rouge brillait comme une rose au coin de sa bouche décolorée. Sérapion, à cette vue, entra en fureur : « Ah !
1040 te voilà, démon, courtisane impudique, buveuse de sang et d'or ! » et il aspergea d'eau bénite le corps et le cercueil sur lequel il traça la forme d'une croix avec son goupillon[1]. La pauvre Clarimonde n'eut pas été plus tôt touchée par la sainte rosée que son beau corps tomba en poussière ; ce ne fut plus qu'un mélange affreuse-
1045 ment informe de cendres et d'os à demi calcinés. « Voilà votre maîtresse, seigneur Romuald, dit l'inexorable prêtre en me montrant ces tristes dépouilles[2], serez-vous encore tenté d'aller vous promener au Lido[3] et à Fusine[4] avec votre beauté ? » Je baissai la tête ; une grande ruine venait de se faire au-dedans de moi. Je retournai
1050 à mon presbytère, et le seigneur Romuald, amant de Clarimonde, se sépara du pauvre prêtre, à qui il avait tenu pendant si longtemps une si étrange compagnie. Seulement, la nuit suivante, je vis

1. **Goupillon :** instrument qui sert à répandre l'eau bénite lors des cérémonies.
2. **Dépouilles :** corps morts.
3. **Lido :** île fermant la lagune de Venise, célèbre pour ses plages.
4. **Fusine :** lieu de villégiature proche de Venise.

Clarimonde ; elle me dit, comme la première fois sous le portail de l'église : « Malheureux ! malheureux ! qu'as-tu fait ? Pourquoi as-tu écouté ce prêtre imbécile ? n'étais-tu pas heureux ? et que t'avais-je fait, pour violer ma pauvre tombe et mettre à nu les misères de mon néant ? Toute communication entre nos âmes et nos corps est rompue désormais. Adieu, tu me regretteras. » Elle se dissipa dans l'air comme une fumée, et je ne la revis plus.

Hélas ! elle a dit vrai : je l'ai regrettée plus d'une fois et je la regrette encore. La paix de mon âme a été bien chèrement achetée ; l'amour de Dieu n'était pas de trop pour remplacer le sien. Voilà, frère, l'histoire de ma jeunesse. Ne regardez jamais une femme, et marchez toujours les yeux fixés en terre, car, si chaste et si calme que vous soyez, il suffit d'une minute pour vous faire perdre l'éternité.

Récit fantastique publié dans la *Chronique de Paris* les 23 et 26 juin 1836.

Le Grand Canal de Venise.
Peinture à l'huile de Canaletto, XVIIIe siècle.

Clefs d'analyse

La Morte amoureuse (l. 286-1066)

Action et personnages

1. Énumérez les différents lieux dans lesquels l'action se déroule.
2. Résumez les deux vies du personnage.
3. À quels moments l'abbé Sérapion intervient-il auprès du héros ? En quoi cela prépare-t-il le dénouement ?
4. Quelle leçon se dégage de la nouvelle ? Vous semble-t-elle efficace ?

Langue

5. Relevez les exclamations, et les marques d'une émotion revécue au présent. Le narrateur est-il revenu à la paix avec soi-même ?
6. Étudiez les modes et les temps des lignes 315 à 328. Quelles indications nous donnent-ils sur l'état intérieur du personnage, mais aussi du narrateur ?
7. Étudiez le champ lexical de la vision dans la description du palais Concini et dans le portrait de Clarimonde sur son lit de mort. Quel pouvoir Gautier donne-t-il ici à la vue ?

Genre ou thèmes

8. Lignes 517-590, relevez les marques d'hésitation entre rêve et réalité dans le discours et dans le récit.
9. Le passage contenu dans les lignes 899 à 922 propose deux interprétations opposées du personnage de Clarimonde. Exposez-les. Le lecteur est-il invité à choisir entre ces deux interprétations ?
10. Le dédoublement du moi est un thème fantastique essentiel. Où est-il présent ici ? Y a-t-il un vrai Romuald ?
11. Le personnage de l'abbé Sérapion est-il sympathique ? Montrez que cet ennemi du démon a quelque chose de démoniaque.
12. Quel intérêt y a-t-il à choisir un personnage de prêtre comme protagoniste ? En quoi cela infléchit-il le sens de l'expérience fantastique ?

Écriture

13. Rédigez la lettre inquiète que l'abbé Sérapion pourrait envoyer à l'un de ses supérieurs ecclésiastiques, en tenant compte de toutes les informations qu'il a personnellement sur le héros.
14. Racontez au présent et de l'extérieur, c'est-à-dire à la troisième personne, la scène d'évanouissement de Romuald.

Pour aller plus loin

15. Clarimonde est un vampire, mais un vampire original. Relevez dans la nouvelle les détails typiques et les marques de renouvellement de cette figure.
16. Faites une recherche sur le diable, en particulier sur la façon dont il apparaît dans la Bible, et sur les différents noms que la tradition occidentale donne au diable. Quels noms ou quelles périphrases retrouve-t-on ici ?

✻ À retenir

La rencontre fantastique n'est pas sans effet sur l'âme du héros ; elle constitue une expérience spirituelle et la révélation d'autres valeurs où le personnage perd ses repères en sortant de soi ; ces valeurs étaient pourtant déjà présentes dans le monde réel, sous forme de prémonitions ou d'ouverture aux sortilèges, et le resteront dans l'éternité du souvenir.

Le Chevalier double

QUI REND donc la blonde Edwige si triste ? que fait-elle assise à l'écart, le menton dans sa main et le coude au genou, plus morne que le désespoir, plus pâle que la statue d'albâtre[1] qui pleure sur un tombeau ?

Du coin de sa paupière une grosse larme roule sur le duvet de sa joue, une seule, mais qui ne tarit jamais ; comme cette goutte d'eau qui suinte des voûtes du rocher et qui à la longue use le granit, cette seule larme, en tombant sans relâche de ses yeux sur son cœur, l'a percé et traversé à jour.

Edwige, blonde Edwige, ne croyez-vous plus à Jésus-Christ le doux Sauveur ? doutez-vous de l'indulgence de la très sainte Vierge Marie ? Pourquoi portez-vous sans cesse à votre flanc vos petites mains diaphanes[2], amaigries et fluettes comme celles des Elfes et des Willis[3] ? Vous allez être mère ; c'était votre plus cher vœu, votre noble époux, le comte Lodbrog, a promis un autel d'argent massif, un ciboire[4] d'or fin à l'église de Saint-Euthbert si vous lui donniez un fils.

Hélas ! hélas ! la pauvre Edwige a le cœur percé des sept glaives de la douleur[5] ; un terrible secret pèse sur son âme. Il y a quelques mois, un étranger est venu au château ; il faisait un terrible temps cette nuit-là : les tours tremblaient dans leur charpente, les girouettes piaulaient[6], le feu rampait dans la cheminée, et le vent frappait à la vitre comme un importun qui veut entrer.

1. **Albâtre :** pierre blanche translucide, proche du marbre.
2. **Diaphanes :** pâles, fines, transparentes, qui laissent voir les veines.
3. **Des Elphes et des Willis :** personnages de la mythologie germanique et scandinave, danseuses de la nuit. Gautier a écrit le livret d'un célèbre ballet, *Giselle ou les Willis*, représenté en juin 1841.
4. **Ciboire :** coupe sacrée dans laquelle le prêtre conserve les hosties.
5. **Sept glaives de la douleur :** référence aux souffrances de la Vierge Marie lors de la passion et de la crucifixion de Jésus.
6. **Piaulaient :** ce verbe désigne le cri strident de certains oiseaux.

L'étranger était beau comme un ange, mais comme un ange
25 tombé[1] ; il souriait doucement et regardait doucement, et pourtant
ce regard et ce sourire vous glaçaient de terreur et vous inspiraient
l'effroi qu'on éprouve en se penchant sur un abîme. Une grâce
scélérate[2], une langueur perfide comme celle du tigre qui guette
sa proie, accompagnaient tous ses mouvements ; il charmait à la
30 façon du serpent qui fascine l'oiseau.

Cet étranger était un maître chanteur[3] ; son teint bruni montrait
qu'il avait vu d'autres cieux ; il disait venir du fond de la Bohème[4],
et demandait l'hospitalité pour cette nuit-là seulement.

Il resta cette nuit, et encore d'autres jours et encore d'autres
35 nuits, car la tempête ne pouvait s'apaiser, et le vieux château s'agitait sur ses fondements comme si la rafale eût voulu le déraciner
et faire tomber sa couronne de créneaux dans les eaux écumeuses
du torrent.

Pour charmer le temps, il chantait d'étranges poésies qui trou-
40 blaient le cœur et donnaient des idées furieuses ; tout le temps
qu'il chantait, un corbeau noir vernissé[5], luisant comme le jais, se
tenait sur son épaule ; il battait la mesure avec son bec d'ébène, et
semblait applaudir en secouant ses ailes. – Edwige pâlissait, pâlissait comme les lis du clair de lune ; Edwige rougissait, rougissait
45 comme les roses de l'aurore, et se laissait aller en arrière dans son
grand fauteuil, languissante, à demi morte, enivrée comme si elle
avait respiré le parfum fatal de ces fleurs qui font mourir.

Enfin le maître chanteur put partir ; un petit sourire bleu venait
de dérider la face du ciel. Depuis ce jour, Edwige, la blonde Edwige
50 ne fait que pleurer dans l'angle de la fenêtre.

Edwige est mère ; elle a un bel enfant tout blanc et tout vermeil.
– Le vieux comte Lodbrog a commandé au fondeur l'autel d'argent
massif, et il adonné mille pièces d'or à l'orfèvre dans une bourse de

---

1. **Un ange tombé :** le diable de l'Ancien Testament est un ange déchu.
2. **Scélérate :** perfide, criminelle.
3. **Un maître chanteur :** musicien et poète dans une confrérie. *Les Maîtres chanteurs* sont une œuvre célèbre de l'écrivain Hoffmann (1717-1718), père du genre fantastique.
4. **La Bohême :** région de la Tchécoslovaquie.
5. **Vernissé :** brillant, lustré.

peau de renne pour fabriquer le ciboire ; il sera large et lourd, et
55 tiendra une grande mesure de vin. Le prêtre qui le videra pourra
dire qu'il est un bon buveur.

L'enfant est tout blanc et tout vermeil, mais il a le regard noir de l'étranger : sa mère l'a bien vu. Ah ! pauvre Edwige ! pourquoi avez-vous tant regardé l'étranger avec sa harpe et son corbeau ?...

60 Le chapelain[1] ondoie[2] l'enfant ; – on lui donne le nom d'Oluf, un bien beau nom ! – Le mire[3] monte sur la plus haute tour pour lui tirer l'horoscope.

Le temps était clair et froid : comme une mâchoire de loup cervier[4] aux dents aiguës et blanches, une découpure de montagnes
65 couvertes de neiges mordait le bord de la robe du ciel ; les étoiles larges et pâles brillaient dans la crudité bleue de la nuit comme des soleils d'argent.

Le mire prend la hauteur, remarque l'année, le jour et la minute ; il fait de longs calculs en encre rouge sur un long parchemin tout
70 constellé de signes cabalistiques[5] ; il rentre dans son cabinet, et remonte sur la plate-forme, il ne s'est pourtant pas trompé dans ses supputations[6], son thème de nativité est juste comme un trébuchet[7] à peser les pierres fines ; cependant il recommence : il n'a pas fait d'erreur.

75 Le petit comte Oluf a une étoile double, une verte et une rouge, verte comme l'espérance, rouge comme l'enfer ; l'une favorable, l'autre désastreuse. Cela s'est-il jamais vu qu'un enfant ait une étoile double ?

Avec un air grave et compassé le mire rentre dans la chambre
80 de l'accouchée et dit, passant sa main osseuse dans les flots de sa grande barbe de mage :

« Comtesse Edwige, et vous, comte Lodbrog, deux influences ont présidé à la naissance d'Oluf, votre précieux fils : l'une bonne,

---

1. **Le chapelain :** l'aumônier.
2. **Ondoie :** baptise l'enfant en le plongeant dans l'eau bénite.
3. **Le mire :** médecin, astrologue et musicien à la fois ; c'est un mot du Moyen Âge.
4. **Loup cervier :** lynx.
5. **Cabalistiques :** mystérieux et magiques.
6. **Supputations :** suppositions.
7. **Un trébuchet :** une petite balance très précise.

l'autre mauvaise ; c'est pourquoi il a une étoile verte et une étoile rouge. Il est soumis à un double ascendant ; il sera très heureux ou très malheureux, je ne sais lequel ; peut-être tous les deux à la fois. »

Le comte Lodbrog répondit au mire : « L'étoile verte l'emportera. » Mais Edwige craignait dans son cœur de mère que ce ne fût la rouge. Elle remit son menton dans sa main, son coude sur son genou et recommença à pleurer dans le coin de la fenêtre. Après avoir allaité son enfant, son unique occupation était de regarder à travers la vitre la neige descendre en flocons drus et pressés, comme si l'on eût plumé là-haut les ailes blanches de tous les anges et de tous les chérubins.

De temps en temps un corbeau passait devant la vitre, croassant et secouant cette poussière argentée. Cela faisait penser Edwige au corbeau singulier qui se tenait toujours sur l'épaule de l'étranger au doux regard de tigre, au charmant sourire de vipère.

Et ses larmes tombaient plus vite de ses yeux sur son cœur, sur son cœur percé à jour[1].

Le jeune Oluf est un enfant bien étrange : on dirait qu'il y a dans sa petite peau blanche et vermeille deux enfants d'un caractère très différent ; un jour il est bon comme un ange, un autre jour il est méchant comme un diable, il mord le sein de sa mère, et déchire à coup d'ongles le visage de sa gouvernante.

Le vieux comte Lodbrog, souriant dans sa moustache grise, dit qu'Oluf fera un bon soldat et qu'il a l'humeur belliqueuse[2]. Le fait est qu'Oluf est un petit drôle insupportable : tantôt il pleure, tantôt il rit ; il est capricieux comme la lune, fantasque[3] comme une femme ; il va, vient, s'arrête tout à coup sans motif apparent, abandonne ce qu'il avait entrepris et fait succéder à la turbulence la plus inquiète[4] l'immobilité la plus absolue ; quoiqu'il soit seul, il paraît converser avec un interlocuteur invisible ! Quand on lui demande la cause de toutes ces agitations, il dit que l'étoile rouge le tourmente.

1. **Son cœur percé à jour :** son cœur (ses sentiments) qu'elle avait deviné, dans lequel elle avait vu clair.
2. **Belliqueuse :** qui cherche la querelle.
3. **Fantasque :** capricieux, lunatique.
4. **Inquiète :** agitée (mot vieilli).

Oluf a bientôt quinze ans. Son caractère devient de plus en plus inexplicable ; sa physionomie, quoique parfaitement belle, est d'une expression embarrassante ; il est blond comme sa mère, avec tous les traits de la race du Nord ; mais sous son front blanc comme la neige que n'a rayée encore ni le patin du chasseur ni maculée le pied de l'ours, et qui est bien le front de la race antique des Lodbrog, scintille entre deux paupières orangées un œil aux longs cils noirs, un œil de jais illuminé des fauves ardeurs de la passion italienne, un regard velouté, cruel et doucereux comme celui du maître chanteur de Bohême.

Comme les mois s'envolent, et plus vite encore les années ! Edwige repose maintenant sous les arches ténébreuses du caveau des Lodbrog, à côté du vieux comte, souriant, dans son cercueil, de ne pas voir son nom périr. Elle était déjà si pâle que la mort ne l'a pas beaucoup changée. Sur son tombeau il y a une belle statue couchée, les mains jointes, et les pieds sur une levrette de marbre, fidèle compagnie des trépassés. Ce qu'a dit Edwige à sa dernière heure, nul ne le sait, mais le prêtre qui la confessait est devenu plus pâle encore que la mourante.

Oluf, le fils blond et brun d'Edwige la désolée, a vingt ans aujourd'hui. Il est très adroit à tous les exercices, nul ne tire mieux l'arc que lui ; il refend la flèche qui vient de se planter en tremblant dans le cœur du but ; sans mors[1] ni éperon il dompte les chevaux les plus sauvages.

Il n'a jamais impunément[2] regardé une femme ou une jeune fille ; mais aucune de celles qui l'ont aimé n'a été heureuse. L'inégalité fatale de son caractère s'oppose à toute réalisation de bonheur entre une femme et lui. Une seule de ses moitiés ressent de la passion, l'autre éprouve de la haine ; tantôt l'étoile verte l'emporte, tantôt l'étoile rouge. Un jour il vous dit : « Ô blanches vierges du Nord, étincelantes et pures comme les glaces du pôle ; prunelles de clair de lune ; joues nuancées des fraîcheurs de l'aurore boréale ! » Et l'autre jour il s'écriait : « Ô filles d'Italie, dorées par le soleil et blondes comme l'orange ! cœurs de flamme dans des poitrines de bronze ! » Ce qu'il y a de plus triste, c'est qu'il est sincère dans les deux exclamations.

---

1. **Mors :** pièce de fer qui se place dans la bouche du cheval pour le mener.
2. **Impunément :** en vain. Chaque fois qu'il a regardé une femme, elle l'a aimé.

Lutte de Jacob avec l'auge, Paul Gauguin, 1888.

Hélas ! pauvres désolées[1], tristes ombres plaintives, vous ne l'accusez même pas, car vous savez qu'il est plus malheureux que vous ; son cœur est un terrain sans cesse foulé[2] par les pieds de deux lutteurs inconnus, dont chacun, comme dans le combat de
155 Jacob et de l'Ange[3], cherche à dessécher le jarret[4] de son adversaire.

Si l'on allait au cimetière, sous les larges feuilles veloutées du verbascum[5] aux profondes découpures, sous l'asphodèle[6] aux rameaux d'un vert malsain, dans la folle avoine et les orties, l'on trouverait plus d'une pierre abandonnée où la rosée du matin
160 répand seule ses larmes. Mina, Dora, Thécla ! la terre est-elle bien lourde à vos seins délicats et à vos corps charmants ?

Un jour Oluf appelle Dietrich, son fidèle écuyer ; il lui dit de seller son cheval.

« Maître, regardez comme la neige tombe, comme le vent siffle
165 et fait ployer jusqu'à terre la cime des sapins ; n'entendez-vous pas dans le lointain hurler les loups maigres et bramer[7] ainsi que des âmes en peine les rennes à l'agonie ?

– Dietrich, mon fidèle écuyer, je secouerai la neige comme on fait d'un duvet qui s'attache au manteau ; je passerai sous l'arceau
170 des sapins[8] en inclinant un peu l'aigrette[9] de mon casque. Quant aux loups, leurs griffes s'émousseront sur cette bonne armure, et du bout de mon épée fouillant[10] la glace, je découvrirai au pauvre renne, qui geint et pleure à chaudes larmes, la mousse fraîche et fleurie qu'il ne peut atteindre. »

---

1. **Désolées** : femmes éplorées.
2. **Foulé** : parcouru, fréquenté.
3. **Le combat de Jacob et de l'Ange** : allusion à un épisode du premier livre de la Bible, la Genèse (XXXII, 23) au cours duquel le patriarche Jacob lutte toute une nuit avec un inconnu qui se révèle être Dieu lui-même.
4. **Dessécher le jarret** : rendre la jambe insensible.
5. **Verbascum** : plante aux fleurs jaunes, qui pousse dans des lieux sauvages, non cultivés.
6. **Asphodèle** : plante aux fleurs très décoratives, en forme d'étoiles.
7. **Bramer** : crier, gémir.
8. **L'arceau des sapins** : la voûte formée par les sapins.
9. **Aigrette** : bouquet de plumes.
10. **Fouillant** : remuant.

175 Le comte Oluf de Lodbrog, car tel est son titre depuis que le vieux comte est mort, part sur son bon cheval, accompagné de ses deux chiens géants, Murg et Fenris, car le jeune seigneur aux paupières couleur d'orange a un rendez-vous, et déjà peut-être, du haut de la petite tourelle aiguë en forme de poivrière se penche sur 180 le balcon sculpté, malgré le froid et la bise, la jeune fille inquiète, cherchant à démêler[1] dans la blancheur de la plaine le panache[2] du chevalier.

Oluf, sur son grand cheval à formes d'éléphant, dont il laboure les flancs à coups d'éperon, s'avance dans la campagne, il traverse 185 le lac, dont le froid n'a fait qu'un seul bloc de glace, où les poissons sont enchâssés, les nageoires étendues, comme des pétrifications dans la pâte du marbre ; les quatre fers du cheval, armés de crochets, mordent solidement la dure surface ; un brouillard, produit par sa sueur et sa respiration, l'enveloppe et le suit ; on dirait qu'il 190 galope dans un nuage ; les deux chiens, Murg[3] et Fenris[4], soufflent de chaque côté de leur maître, par leurs naseaux sanglants, de longs jets de fumée comme des animaux fabuleux.

Voici le bois de sapins ; pareils à des spectres, ils étendent leurs bras appesantis chargés de nappes blanches ; le poids de la neige 195 courbe les plus jeunes et les plus flexibles : on dirait une suite d'arceaux d'argent. La noire terreur habite dans cette forêt, où les rochers affectent des formes monstrueuses, où chaque arbre, avec ses racines, semble couver à ses pieds un nid de dragons engourdis. Mais Oluf ne connaît pas la terreur.

200 Le chemin se resserre de plus en plus ; les sapins croisent inextricablement leurs branches lamentables ; à peine de rares éclaircies permettent-elles de voir la chaîne de collines neigeuses qui se détachent en blanches ondulations sur le ciel noir et terne.

Heureusement Mopse est un vigoureux coursier[5] qui porterait 205 sans plier Odin[6] le gigantesque ; nul obstacle ne l'arrête ; il saute

1. **Démêler** : distinguer.
2. **Panache** : bouquet de plumes.
3. **Murg** : rivière d'Allemagne.
4. **Fenris** : nom d'un loup dans la mythologie scandinave.
5. **Coursier** : grand et beau cheval.
6. **Odin** : autrement dit Wotan, principal dieu du Panthéon germanique.

par-dessus les rochers, il enjambe les fondrières[1], et de temps en temps il arrache aux cailloux que son sabot heurte sous la neige une aigrette d'étincelles aussitôt éteintes.

« Allons, Mopse, courage ! tu n'as plus à traverser que la plaine et 210 le petit bois de bouleaux ; une jolie main caressera ton col satiné, et dans une écurie bien chaude tu mangeras de l'orge mondée[2] et de l'avoine à pleine mesure. »

Quel charmant spectacle que le bois de bouleaux ! toutes les branches sont ouatées d'une peluche[3] de givre, les plus petites 215 brindilles se dessinent en blanc sur l'obscurité de l'atmosphère : on dirait une immense corbeille de filigrane[4], un madrépore[5] d'argent, une grotte avec tous ses stalactites ; les ramifications et les fleurs bizarres dont la gelée étame[6] les vitres n'offrent pas des dessins plus compliqués et plus variés.

220 « Seigneur Oluf, que vous avez tardé ! j'avais peur que l'ours de la montagne vous eût barré le chemin ou que les elfes vous eussent invité à danser, dit la jeune châtelaine en faisant asseoir Oluf sur le fauteuil de chêne dans l'intérieur de la cheminée. Mais pourquoi êtes-vous venu au rendez-vous d'amour avec un compa- 225 gnon ? Aviez-vous donc peur de passer tout seul par la forêt ?

– De quel compagnon voulez-vous parler, fleur de mon âme ? dit Oluf très surpris à la jeune châtelaine.

– Du chevalier à l'étoile rouge que vous menez toujours avec vous. Celui qui est né d'un regard du chanteur bohémien, l'esprit funeste 230 qui vous possède ; défaites-vous du chevalier à l'étoile rouge, ou je n'écouterai jamais vos propos d'amour ; je ne puis être la femme de deux hommes à la fois. »

Oluf eut beau faire et beau dire, il ne put seulement parvenir à baiser le petit doigt rose de la main de Brenda ; il s'en alla fort

1. **Fondrières :** ornières, trous.
2. **Mondée :** élaguée, décortiquée.
3. **Peluche :** bouloche.
4. **Corbeille de filigrane :** ouvrage fait de fils de métal entrelacés, dentelle d'or ou d'argent.
5. **Madrépore :** animal des mers chaudes à squelette calcaire, qui, en s'agglomérant aux autres, forme des récifs dans la mer.
6. **Étame :** recouvre.

mécontent et résolu à combattre le chevalier à l'étoile rouge s'il pouvait le rencontrer.

Malgré l'accueil sévère de Brenda, Oluf reprit le lendemain la route du château à tourelles en forme de poivrière : les amoureux ne se rebutent[1] pas aisément.

Tout en cheminant il se disait : « Brenda sans doute est folle ; et que veut-elle dire avec son chevalier à l'étoile rouge ? »

La tempête était des plus violentes ; la neige tourbillonnait et permettait à peine de distinguer la terre du ciel. Une spirale de corbeaux, malgré les abois de Fenris et de Murg, qui sautaient en l'air pour les saisir, tournoyait sinistrement au-dessus du panache d'Oluf. À leur tête était le corbeau luisant comme le jais qui battait la mesure sur l'épaule du chanteur bohémien.

Fenris et Murg s'arrêtent subitement : leurs naseaux mobiles hument l'air avec inquiétude ; ils subodorent[2] la présence d'un ennemi. – Ce n'est point un loup ni un renard ; un loup et un renard ne seraient qu'une bouchée pour ces braves chiens.

Un bruit de pas se fait entendre, et bientôt paraît au détour du chemin un chevalier monté sur un cheval de grande taille et suivi de deux énormes chiens.

Vous l'auriez pris pour Oluf. Il était armé exactement de même, avec un surcot[3] historié[4] du même blason ; seulement il portait sur son casque une plume rouge au lieu d'être verte. La route était si étroite qu'il fallait que l'un des deux chevaux reculât.

« Seigneur Oluf, reculez-vous pour que je passe, dit le chevalier à la visière baissée. Le voyage que je fais est un long voyage ; on m'attend, il faut que j'arrive.

– Par la moustache de mon père, c'est vous qui reculerez. Je vais à un rendez-vous d'amour, et les amoureux sont pressés, » répondit Oluf en portant la main sur la garde de son épée.

L'inconnu tira la sienne, et le combat commença. Les épées, en tombant sur les mailles d'acier, en faisaient jaillir des gerbes d'étincelles pétillantes ; bientôt, quoique d'une trempe supérieure, elles

1. **Rebutent :** dégoûtent, découragent.
2. **Subodorent :** devinent.
3. **Surcot :** vêtement médiéval porté par-dessus la cotte.
4. **Historié :** ornementé.

furent ébréchées comme des scies. On eût pris les combattants, à travers la fumée de leurs chevaux et la brume de leur respiration
270 haletante, pour deux noirs forgerons acharnés sur un fer rouge. Les chevaux, animés de la même rage que leurs maîtres, mordaient à belles dents leurs cous veineux, et s'enlevaient des lambeaux de poitrail[1] ; ils s'agitaient avec des soubresauts furieux, se dressaient sur leurs pieds de derrière, et se servant de leurs sabots comme
275 de poings fermés, ils se portaient des coups terribles pendant que leurs cavaliers se martelaient affreusement par-dessus leurs têtes ; les chiens n'étaient qu'une morsure et qu'un hurlement.

Les gouttes de sang suintant à travers les écailles imbriquées des armures et tombant toutes tièdes sur la neige, y faisaient de petits
280 trous roses. Au bout de peu d'instants l'on aurait dit un crible[2], tant les gouttes tombaient fréquentes et pressées. Les deux chevaliers étaient blessés.

Chose étrange, Oluf sentait les coups qu'il portait au chevalier inconnu ; il souffrait des blessures qu'il faisait et de celles qu'il
285 recevait : il avait éprouvé un grand froid dans la poitrine, comme d'un fer qui entrerait et chercherait le cœur, et pourtant sa cuirasse n'était pas faussée[3] à l'endroit du cœur : sa seule blessure était un coup dans les chairs au bras droit. Singulier duel, où le vainqueur souffrait autant que le vaincu, où donner et recevoir était une
290 chose indifférente.

Ramassant ses forces, Oluf fit voler d'un revers le terrible heaume[4] de son adversaire. – Ô terreur ! que vit le fils d'Edwige et de Lodbrog ? il se vit lui-même devant lui : un miroir eût été moins exact. Il s'était battu avec son propre spectre, avec le chevalier à
295 l'étoile rouge ; le spectre jeta un grand cri et disparut.

La spirale de corbeaux remonta dans le ciel et le brave Oluf continua son chemin ; en revenant le soir à son château, il portait en croupe[5] la jeune châtelaine, qui cette fois avait bien voulu l'écouter. Le chevalier à l'étoile rouge n'étant plus là, elle s'était

---

1. **S'enlevaient des lambeaux de poitrail :** s'arrachaient des morceaux de poitrine.
2. **Crible :** instrument percé de trous, fait pour trier des choses de tailles inégales.
3. **Faussée :** déformée.
4. **Heaume :** casque médiéval.
5. **Portait en croupe :** portait à cheval.

300 décidée à laisser tomber de ses lèvres roses, sur le cœur d'Oluf, cet aveu qui coûte tant à la pudeur. La nuit était claire et bleue, Oluf leva la tête pour chercher sa double étoile et la faire voir à sa fiancée : il n'y avait plus que la verte, la rouge avait disparu.

En entrant, Brenda, tout heureuse de ce prodige qu'elle attri-
305 buait à l'amour, fit remarquer au jeune Oluf que le jais de ses yeux s'était changé en azur, signe de réconciliation céleste. – Le vieux Lodbrog en sourit d'aise sous sa moustache blanche au fond de son tombeau ; car, à vrai dire, quoiqu'il n'en eût rien témoigné, les yeux d'Oluf l'avaient quelquefois fait réfléchir. – L'ombre d'Edwige
310 est toute joyeuse, car l'enfant du noble seigneur Lodbrog a enfin vaincu l'influence maligne de l'œil orange, du corbeau noir et de l'étoile rouge, l'homme a terrassé l'incube[1].

Cette histoire montre comme un seul moment d'oubli, un regard même innocent, peuvent avoir d'influence.

315 Jeunes femmes, ne jetez jamais les yeux sur les maîtres chanteurs de Bohême, qui récitent des poésies enivrantes et diaboliques. Vous, jeunes filles, ne vous fiez qu'à l'étoile verte ; et vous qui avez le malheur d'être double, combattez bravement, quand même vous devriez frapper sur vous et vous blesser de votre propre
320 épée, l'adversaire intérieur, le méchant chevalier.

Si vous demandez qui nous a apporté cette légende de Norvège, c'est un cygne ; un bel oiseau au bec jaune, qui a traversé le Fiord[2], moitié nageant, moitié volant.

Publié pour la première fois dans le *Musée des Familles*, juillet
325 1840.

---

1. **Incube :** démon qui séduit les femmes pendant le sommeil.
2. **Fiord :** ancienne vallée glaciaire rattrapée par la mer.

Clefs d'analyse

Action et personnages

1. Où se déroule l'action ? À quelle période ?
2. Qui désigne le titre ?
3. Edwige a un secret. Quel est-il ?
4. Quel « personnage » apparaît comme le double et l'auxiliaire du chanteur surnaturel ?
5. Ce récit a plusieurs fins ; énumérez-les.

Langue

6. Observez les interrogations des lignes 1 à 17. Quel est leur effet sur le lecteur ?
7. Relevez les exclamations dans l'ensemble de la nouvelle ; à quoi servent-elles ?
8. Énumérez les mots empruntés au vocabulaire médiéval.
9. Par quels procédés la forêt est-elle animée dans la description qu'en fait le conteur ? À quels mots comprend-on qu'elle est aussi un lieu diabolique ?
10. La ballade populaire est une forme très ancienne, un récit-poème transmis oralement, mélodieux et répétitif ; relevez les marques d'oralité et de répétitions qui font de cette nouvelle un pastiche de ballade.
11. Observez le récit de bataille. Comment se transforme le rapport existant entre les deux protagonistes ?

Genre ou thèmes

12. Cette nouvelle vous semble-t-elle correspondre au registre merveilleux ou au registre fantastique ?
13. Le thème du double rejaillit sur la structure de la nouvelle. Montrez-le.
14. Enfanté par une quasi-morte, le héros semble mené à une résurrection ; montrez que le combat correspond pour lui à un accès à la vie.

15. Quelle est ici la puissance de la musique ? Cherchez dans un dictionnaire l'étymologie du mot « charme » ; cela correspond-il à la représentation du chant présente dans ce conte ?

16. Observez les notations de couleurs dans l'ensemble de la nouvelle. Que peut symboliser chacune d'elles ?

Écriture

17. En prenant modèle sur le début de ce conte, rédigez le début d'un récit qui prenne la forme d'une énigme.

18. Rédigez un paragraphe amplifiant la description de la nature double d'Oluf (l. 101-105), en imaginant les actions contradictoires de cet enfant.

Pour aller plus loin

19. Le thème de la forêt animée est commun à « La Morte amoureuse » et au « Chevalier double ». Comparez leur description dans les deux nouvelles. Cherchez d'autres œuvres, littéraires ou picturales, où ce thème est présent.

20. Le diable apparaît ici sous les traits d'un séducteur, et plusieurs de ses surnoms l'apparentent au désir. Énumérez-les.

✱ *À retenir*

Le thème du double est une façon d'explorer le mystère de l'identité personnelle, l'obscurité de la psyché. Il correspond parfois à une expérience de libération, à l'hésitation de la volonté et du désir (dans « La Morte amoureuse ») ; il est souvent, comme pour Oluf, l'allégorie de nos apprentissages, des souffrances de la construction de soi, de ses combats et de ses victoires.

Gravure de Pompéi, par Piranèse, XVIIIe siècle.

Arria Marcella
Souvenir de Pompéi

TROIS JEUNES gens, trois amis qui avaient fait ensemble le voyage d'Italie, visitaient l'année dernière le musée des Studj[1], à Naples, où l'on a réuni les différents objets antiques exhumés des fouilles de Pompéi et d'Herculanum[2].

5 Ils s'étaient répandus à travers les salles et regardaient les mosaïques, les bronzes, les fresques détachés des murs de la ville morte, selon que leur caprice les éparpillait, et quand l'un d'eux avait fait une rencontre curieuse, il appelait ses compagnons avec des cris de joie, au grand scandale des Anglais taciturnes[3] et des bourgeois
10 posés occupés à feuilleter leur livret.

Mais le plus jeune des trois, arrêté devant une vitrine, paraissait ne pas entendre les exclamations de ses camarades, absorbé qu'il était dans une contemplation profonde. Ce qu'il examinait avec tant d'attention, c'était un morceau de cendre noire coagulée portant
15 une empreinte creuse : on eût dit un fragment de moule de statue, brisé par la fonte ; l'œil exercé d'un artiste y eût aisément reconnu la coupe d'un sein admirable et d'un flanc aussi pur de style que celui d'une statue grecque. L'on sait, et le moindre guide du voyageur vous l'indique, que cette lave, refroidie autour du corps d'une
20 femme, en a gardé le contour charmant. Grâce au caprice de l'éruption qui a détruit quatre villes, cette noble forme, tombée en poussière depuis deux mille ans bientôt, est parvenue jusqu'à nous ; la

---

1. **Le Musée des Studj :** musée archéologique de Naples. Gautier l'avait visité en 1850 avec Louis de Cormenin.
2. **Fouilles de Pompéi et d'Herculanum :** sites archéologiques majeurs à proximité de Naples, ces deux villes ont été victimes de l'éruption du Vésuve en 79 apr. J.-C. (voir l. 23). Pompéi a été ensevelie sous une immense couche de cendres qui a causé la mort de sa population mais également préservé des peintures, des fresques, des corps momifiés et de fabuleux vestiges.
3. **Taciturnes :** silencieux.

rondeur d'une gorge[1] a traversé les siècles lorsque tant d'empires disparus n'ont pas laissé de trace ! Ce cachet de beauté, posé par le hasard sur la scorie[2] d'un volcan, ne s'est pas effacé.

Voyant qu'il s'obstinait dans sa contemplation, les deux amis d'Octavien revinrent vers lui, et Max, en le touchant à l'épaule, le fit tressaillir comme un homme surpris dans son secret. Évidemment Octavien n'avait entendu venir ni Max ni Fabio.

« Allons, Octavien, dit Max, ne t'arrête pas ainsi des heures entières à chaque armoire, ou nous allons manquer l'heure du chemin de fer, et nous ne verrons pas Pompéi aujourd'hui.

– Que regarde donc le camarade ? ajouta Fabio, qui s'était rapproché. Ah ! l'empreinte trouvée dans la maison d'Arrius Diomèdes[3]. » Et il jeta sur Octavien un coup d'œil rapide et singulier.

Octavien rougit faiblement, prit le bras de Max, et la visite s'acheva sans autre incident. En sortant des Studj, les trois amis montèrent dans un corricolo et se firent mener à la station du chemin de fer. Le corricolo[4], avec ses grandes roues rouges, son strapontin constellé de clous de cuivre, son cheval maigre et plein de feu, harnaché comme une mule d'Espagne, courant au galop sur les larges dalles de lave, est trop connu pour qu'il soit besoin d'en faire la description ici, et d'ailleurs nous n'écrivons pas des impressions de voyage sur Naples, mais le simple récit d'une aventure bizarre et peu croyable, quoique vraie.

Le chemin de fer par lequel on va à Pompéi longe presque toujours la mer, dont les longues volutes d'écume viennent se dérouler sur un sable noirâtre qui ressemble à du charbon tamisé. Ce rivage, en effet, est formé de coulées de lave et de cendres volcaniques, et produit, par son ton foncé, un contraste avec le bleu du ciel et le bleu de l'eau ; parmi tout cet éclat, la terre seule semble retenir l'ombre.

---

1. **Une gorge :** une poitrine.
2. **Scorie :** matière volcanique légère déposée à la surface des coulées de lave.
3. **Arrius Diomèdes :** propriétaire supposé de l'une des plus belles maisons détruites à Pompéi.
4. **Corricolo :** moyen de transport typique à Naples, tiré par deux chevaux, décrit par exemple par Alexandre Dumas dans son récit de voyage justement intitulé *Le Corricolo* (1843).

Les villages que l'on traverse ou que l'on côtoie, Portici, rendu célèbre par l'opéra de M. Auber[1], Resina, Torre del Greco, Torre
55 dell'Annunziata, dont on aperçoit en passant les maisons à arcades et les toits en terrasses, ont, malgré l'intensité du soleil et le lait de chaux méridional, quelque chose de plutonien[2] et de ferrugineux[3] comme Manchester et Birmingham ; la poussière y est noire, une suie impalpable s'y accroche à tout ; on sent que la grande forge
60 du Vésuve halète et fume à deux pas de là.

Les trois amis descendirent à la station[4] de Pompéi, en riant entre eux du mélange d'antique et de moderne que présentent naturellement à l'esprit ces mots : *Station de Pompéi*. Une ville gréco-romaine et un débarcadère de railway[5] !

65 Ils traversèrent le champ planté de cotonniers, sur lequel voltigeaient quelques bourres[6] blanches, qui sépare le chemin de fer de l'emplacement de la ville déterrée, et prirent un guide à l'osteria[7] bâtie en dehors des anciens remparts, ou, pour parler plus correctement, un guide les prit. Calamité qu'il est difficile de conjurer en Italie.

70 Il faisait une de ces heureuses journées si communes à Naples, où par l'éclat du soleil et la transparence de l'air les objets prennent des couleurs qui semblent fabuleuses dans le Nord, et paraissent appartenir plutôt au monde du rêve qu'à celui de la réalité. Quiconque a vu une fois cette lumière d'or et d'azur en emporte
75 au fond de sa brume une incurable nostalgie.

La ville ressuscitée, ayant secoué un coin de son linceul de cendre, ressortait avec ses mille détails sous un jour aveuglant. Le Vésuve découpait dans le fond son cône sillonné de stries de laves bleues, roses, violettes, mordorées par le soleil. Un léger brouillard,
80 presque imperceptible dans la lumière, encapuchonnait[8] la crête

1. **L'opéra de M. Auber :** *La Muette de Portici*, opéra d'Auber, a été créé à Paris en 1828.
2. **Plutonien :** associé au feu infernal ou souterrain (cet adjectif est formé sur le nom de Pluton, dieu des Enfers).
3. **Ferrugineux :** se dit d'une substance dans laquelle entre du fer.
4. **La station :** la gare ferroviaire.
5. **Railway :** chemin de fer (anglicisme).
6. **Bourres :** morceaux d'ouate.
7. **Osteria :** auberge (en italien).
8. **Encapuchonnaient :** recouvraient, entouraient.

écimée[1] de la montagne ; au premier abord, on eût pu le prendre pour un de ces nuages qui, même par les temps les plus sereins, estompent le front des pics élevés. En y regardant de plus près, on voyait de minces filets de vapeur blanche sortir du haut du
85 mont comme des trous d'une cassolette[2], et se réunir ensuite en vapeur légère. Le volcan, d'humeur débonnaire[3] ce jour-là, fumait tout tranquillement sa pipe, et sans l'exemple de Pompéi ensevelie à ses pieds, on ne l'aurait pas cru d'un caractère plus féroce que Montmartre ; de l'autre côté, de belles collines aux lignes ondulées
90 et voluptueuses comme des hanches de femme, arrêtaient l'horizon ; et plus loin la mer, qui autrefois apportait les birèmes et les trirèmes[4] sous les remparts de la ville, tirait sa placide[5] barre d'azur.

L'aspect de Pompéi est des plus surprenants ; ce brusque saut de dix-neuf siècles en arrière étonne même les natures les plus
95 prosaïques[6] et les moins compréhensives, deux pas vous mènent de la vie antique à la vie moderne, et du christianisme au paganisme ; aussi, lorsque les trois amis virent ces rues où les formes d'une existence évanouie sont conservées intactes, éprouvèrent-ils, quelque préparés qu'ils y fussent par les livres et les dessins, une
100 impression aussi étrange que profonde. Octavien surtout semblait frappé de stupeur et suivait machinalement le guide d'un pas de somnambule, sans écouter la nomenclature[7] monotone et apprise par cœur que ce faquin[8] débitait comme une leçon.

Il regardait d'un œil effaré ces ornières[9] de char creusées dans
105 le pavage cyclopéen[10] des rues et qui paraissaient dater d'hier tant l'empreinte en est fraîche ; ces inscriptions tracées en lettres

1. **Écimée :** élaguée, taillée, raccourcie.
2. **Cassolette :** ici, brûle-parfum.
3. **Débonnaire :** indulgente, gentille, bienveillante.
4. **Birèmes et trirèmes :** galères de l'Antiquité (ces noms font référence au nombre de rangées de rameurs, respectivement deux et trois, qui s'y trouvent).
5. **Placide :** calme, tranquille.
6. **Prosaïques :** terre à terre.
7. **Nomenclature :** catalogue, liste de termes techniques.
8. **Faquin :** homme de peu de valeur, mal élevé ou plat (vieilli).
9. **Ornières :** traces profondes que font les roues d'un véhicule dans une route.
10. **Pavage cyclopéen :** pavage recouvrant une route, fait de gros blocs de pierre assemblés sans mortier.

rouges, d'un pinceau cursif[1], sur les parois des murailles : affiches de spectacle, demandes de location, formules votives, enseignes, annonces de toutes sortes, curieuses comme le serait dans deux
110 mille ans, pour les peuples inconnus de l'avenir, un pan de mur de Paris retrouvé avec ses affiches et ses placards[2] ; ces maisons aux toits effondrés laissant pénétrer d'un coup d'œil tous ces mystères d'intérieur, tous ces détails domestiques que négligent les historiens et dont les civilisations emportent le secret avec elles ; ces
115 fontaines à peine taries, ce forum[3] surpris au milieu d'une réparation par la catastrophe, et dont les colonnes, les architraves[4] toutes taillées, toutes sculptées, attendent dans leur pureté d'arête qu'on les mette en place ; ces temples voués à des dieux passés à l'état mythologique et qui alors n'avaient pas un athée ; ces boutiques
120 où ne manque que le marchand ; ces cabarets où se voit encore sur le marbre la tache circulaire laissée par la tasse des buveurs ; cette caserne aux colonnes peintes d'ocre et de minium[5] que les soldats ont égratignée de caricatures de combattants, et ces doubles théâtres de drame et de chant juxtaposés, qui pourraient
125 reprendre leurs représentations, si la troupe qui les desservait, réduite à l'état d'argile, n'était pas occupée, peut-être, à luter le bondon d'un tonneau[6] de bière ou à boucher une fente de mur, comme la poussière d'Alexandre et de César, selon la mélancolique réflexion d'Hamlet[7].

---

1. **Pinceau cursif :** pinceau avec lequel on écrit très rapidement.
2. **Placards :** affiches publiques.
3. **Forum :** la place publique de la Rome antique.
4. **Architraves :** partie de l'entablement (le dernier rang de pierres qui se trouve en haut d'un bâtiment), surmontant immédiatement les colonnes.
5. **Minium :** poudre rouge.
6. **Luter le bondon d'un tonneau :** boucher hermétiquement l'ouverture d'un tonneau.
7. **La mélancolique réflexion d'Hamlet :** dans la pièce de Shakespeare du même nom, Hamlet prononce cette réplique sur la vanité des choses et la précarité du pouvoir : « Alexandre est mort, Alexandre est enterré, Alexandre retourne à la poussière, la poussière devient la terre, de la terre on tire la glaise et pourquoi cette glaise que le voici devenu ne pourrait-elle fermer un tonneau de bière ? / L'impérial César, mort et changé en glaise, / bouchera quelque trou pour arrêter le vent » (V, 1).

130 Fabio monta sur le thymelé[1] du théâtre tragique tandis que Octavien et Max grimpaient jusqu'en haut des gradins, et là il se mit à débiter avec force gestes les morceaux de poésie qui lui venaient à la tête, au grand effroi des lézards, qui se dispersaient en frétillant de la queue et en se tapissant dans les fentes des assises[2] 135 ruinées ; et quoique les vases d'airain ou de terre, destinés à répercuter les sons, n'existassent plus, sa voix n'en résonnait pas moins pleine et vibrante.

Le guide les conduisit ensuite à travers les cultures qui recouvrent les portions de Pompéi encore ensevelies, à l'amphithéâtre, 140 situé à l'autre extrémité de la ville. Ils marchèrent sous ces arbres dont les racines plongent dans les toits des édifices enterrés, en disjoignent les tuiles, en fendent les plafonds, en disloquent les colonnes, et passèrent par ces champs où de vulgaires légumes fructifient sur des merveilles d'art, matérielles images de l'oubli 145 que le temps déploie sur les plus belles choses.

L'amphithéâtre ne les surprit pas. Ils avaient vu celui de Vérone, plus vaste et aussi bien conservé, et ils connaissaient la disposition de ces arènes antiques aussi familièrement que celle des places de taureaux[3] en Espagne, qui leur ressemblent beaucoup, moins la 150 solidité de la construction et la beauté des matériaux.

Ils revinrent donc sur leurs pas, gagnèrent par un chemin de traverse la rue de la Fortune, écoutant d'une oreille distraite le cicérone[4], qui en passant devant chaque maison la nommait du nom qui lui a été donné lors de sa découverte, d'après quelque 155 particularité caractéristique : – la maison du Taureau de bronze, la maison du Faune, la maison du Vaisseau, le temple de la Fortune, la maison de Méléagre, la taverne de la Fortune à l'angle de la rue Consulaire, l'académie de Musique, le Four banal, la Pharmacie, la boutique du Chirurgien, la Douane, l'habitation des Vestales, 160 l'auberge d'Albinus, les Thermopoles, et ainsi de suite jusqu'à la porte qui conduit à la voie des Tombeaux.

---

1. **Thymelé :** partie du théâtre où se tenait le chœur, dans la Rome antique.
2. **Assises :** rangs de pierres qui forment la base d'un mur.
3. **Places de taureaux :** arènes.
4. **Cicérone :** guide.

Cette porte en briques, recouverte de statues, et dont les ornements ont disparu, offre dans son arcade intérieure deux profondes rainures destinées à laisser glisser une herse[1], comme un donjon du Moyen Âge à qui l'on aurait cru ce genre de défense particulier.

« Qui aurait soupçonné, dit Max à ses amis, Pompéi, la ville gréco-latine, d'une fermeture aussi romantiquement gothique ? Vous figurez-vous un chevalier romain attardé, sonnant du cor devant cette porte pour se faire lever la herse, comme un page[2] du XVe siècle ?

– Rien n'est nouveau sous le soleil, répondit Fabio, et cet aphorisme[3] lui-même n'est pas neuf, puisqu'il a été formulé par Salomon[4].

– Peut-être y a-t-il du nouveau sous la lune ! continua Octavien souriant avec une ironie mélancolique.

– Mon cher Octavien, dit Max, qui pendant cette petite conversation s'était arrêté devant une inscription tracée à la rubrique[5] sur la muraille extérieure, veux-tu voir des combats de gladiateurs ? – Voici les affiches : – Combat et chasses pour le 5 des nones d'avril[6], – les mâts seront dressés, – vingt paires de gladiateurs lutteront aux nones, – et si tu crains pour la fraîcheur de ton teint, rassure-toi, on tendra les voiles[7] ; – à moins que tu ne préfères te rendre à l'amphithéâtre de bonne heure, ceux-ci se couperont la gorge le matin – *matutini erunt*[8] ; on n'est pas plus complaisant. »

---

1. **Herse :** grille à pointes qu'on abaissait devant l'entrée d'un château pour la défendre.
2. **Un page :** un jeune serviteur.
3. **Aphorisme :** maxime, formule générale.
4. **Salomon :** dans le livre de la Bible intitulé l'Écclésiaste, le roi Salomon prononce cette maxime : « Rien de nouveau sous le soleil » (I, 10).
5. **La rubrique :** terre de couleur rouge.
6. **Nones d'avril :** division du temps calendaire (de *nona hora*, « neuvième heure du jour »).
7. **Les voiles :** rideaux tendus qui protègent du soleil dans un amphithéâtre.
8. ***Matituni erunt :*** littéralement, « ils seront matinaux ». Le terme « matituni » désignait les gladiateurs qui combattaient les fauves à l'aube.

Clefs d'analyse Arria Marcella (l. 1-175)

Action et personnages

1. Dans quels lieux successifs l'action se déroule-t-elle ?
2. Par quel objet Octavien est-il fasciné ? Qu'est-ce qui le remplit de trouble ?
3. En quoi Octavien est-il assez différent de ses amis ? Comment se manifeste physiquement cette différence, et le trouble qui l'habite ?
4. Pourquoi Max est-il pressé de quitter le musée ?

Langue

5. « Station de Pompéi » (l. 63) : pourquoi cette expression est-elle intéressante ? Peut-on la qualifier d'oxymore* ?
6. Énumérez les mots qui relèvent d'un vocabulaire de la trace (lignes 103-129). En quoi orientent-ils le sens général de la nouvelle ?
7. « des dieux passés à l'état mythologique » (l. 118-119) : que signifie ici l'adjectif ? Quelles sont ses connotations ?
8. Relevez les démonstratifs et observez les temps des verbes des lignes 103 à 129 ; quelle valeur ont-ils dans cette description de Pompéi ?
9. « Peut-être y a-t-il du nouveau sous la lune ! » (l. 174-175). Que signifie cette réplique d'Octavien ? À quelle formule célèbre fait-elle référence ?

Genre ou thèmes

10. Comment les descriptions si nombreuses dans ce texte nous font-elles ressentir la force tragique de ce que Gautier appelle « l'oubli que le temps déploie sur les plus belles choses » (l. 144-145) ?
11. Relevez les références à la « mélancolie » dans ce passage. À quel personnage littéraire précédent est-elle ici associée ? Comment cela oriente-t-il notre vision du héros de la nouvelle ?
12. Quel est le sous-titre de la nouvelle ? Commentez-le.

Écriture

13. Rédigez le monologue intérieur d'Octavien lorsqu'il découvre le moule de plâtre brisé au musée de Naples, en essayant d'imaginer son trouble, ses impressions et ses pensées.
14. Décrivez une œuvre d'art qui vous a particulièrement frappé, et exposez les raisons de votre émotion.

Pour aller plus loin

15. La mélancolie est ce que Musset a appelé « Le mal du siècle », et Nerval « Le soleil noir » ; elle a été associée, dans l'histoire, à la fois à la médecine et à l'esthétique ; faites une brève recherche de textes et d'images pour la définir.
16. « Ces temples voués à des dieux passés à l'état mythologique » (l. 118-119). Gautier ressuscite ici l'univers polythéiste de la religion romaine. Quelle était la place de cette religion dans la société ? Quels en étaient les principaux dieux ? Présentez votre recherche sous la forme d'un dossier illustré.

✻ À retenir

La visite authentique de Gautier, grand voyageur, à Pompéi constitue la matière principale de ce conte ; elle nourrit le long prélude réaliste qui ouvre la narration (où les personnages suivent comme tous les touristes la Voie des Tombeaux) et explique l'importance de son caractère documentaire, cette précision descriptive qui précède souvent, dans le fantastique, la montée progressive du mystère.

185 En devisant de la sorte, les trois amis suivaient cette voie bordée de sépulcres[1] qui, dans nos sentiments modernes, serait une lugubre avenue pour une ville, mais qui n'offrait pas les mêmes significations tristes pour les anciens, dont les tombeaux, au lieu d'un cadavre horrible, ne contenaient qu'une pincée de cendres, 190 idée abstraite de la mort. L'art embellissait ces dernières demeures, et, comme dit Goethe, le païen décorait des images de la vie les sarcophages et les urnes[2].

C'est ce qui faisait sans doute que Max et Fabio visitaient, avec une curiosité allègre et une joyeuse plénitude d'existence qu'ils 195 n'auraient pas eues dans un cimetière chrétien, ces monuments funèbres si gaiement dorés par le soleil et qui, placés sur le bord du chemin, semblent se rattacher encore à la vie et n'inspirent aucune de ces froides répulsions, aucune de ces terreurs fantastiques que font éprouver nos sépultures lugubres. Ils s'arrêtèrent 200 devant le tombeau de Mammia, la prêtresse publique, près duquel est poussé un arbre, un cyprès ou un peuplier ; ils s'assirent dans l'hémicycle du triclinium[3] des repas funéraires, riant comme des héritiers ; ils lurent avec force lazzi[4] les épitaphes[5] de Nevoleja, de Labeon et de la famille d'Arria, suivis d'Octavien, qui semblait plus 205 touché que ses insouciants compagnons du sort de ces trépassés de deux mille ans.

Ils arrivèrent ainsi à la villa d'Arrius Diomèdes, une des habitations les plus considérables de Pompéi. On y monte par des degrés[6] de briques, et lorsqu'on a dépassé la porte flanquée de deux petites 210 colonnes latérales, on se trouve dans une cour semblable au *patio* qui fait le centre des maisons espagnoles et moresques et que les anciens appelaient *impluvium* ou *cavaedium* ; quatorze colonnes de briques recouvertes de stuc[7] forment, des quatre côtés, un portique ou

---

1. **Sépulcres :** tombeaux.
2. **Les sarcophages et les urnes :** cercueils de pierres et vases contenant les cendres des défunts. Gautier reprend ici un vers du poète allemand Goethe (*Épigrammes*, I, 1).
3. **Triclinium :** salle à manger.
4. **Lazzi :** moqueries.
5. **Épitaphes :** inscriptions funéraires célébrant le mort.
6. **Degrés :** marches d'un escalier.
7. **Stuc :** décoration de plâtre qui imite le marbre.

péristyle couvert, semblable au cloître des couvents, et sous lequel
215 on pouvait circuler sans craindre la pluie. Le pavé de cette cour est une mosaïque de briques et de marbre blanc, d'un effet doux et tendre à l'œil. Dans le milieu, un bassin de marbre quadrilatère, qui existe encore, recevait les eaux pluviales qui dégouttaient[1] du toit du portique. – Cela produit un singulier effet d'entrer ainsi dans la
220 vie antique et de fouler[2] avec des bottes vernies des marbres usés par les sandales et les cothurnes[3] des contemporains d'Auguste et de Tibère[4].

Le cicérone les promena dans l'exèdre ou salon d'été, ouvert du côté de la mer pour en aspirer les fraîches brises. C'était là qu'on
225 recevait et qu'on faisait la sieste pendant les heures brûlantes, quand soufflait ce grand zéphyr africain chargé de langueurs et d'orages. Il les fit entrer dans la basilique, longue galerie à jour qui donne de la lumière aux appartements et où les visiteurs et les clients attendaient que le nomenclateur[5] les appelât ; il les
230 conduisit ensuite sur la terrasse de marbre blanc d'où la vue s'étend sur les jardins verts et sur la mer bleue ; puis il leur fit voir le nymphaeum ou salle de bains, avec ses murailles peintes en jaune, ses colonnes de stuc, son pavé de mosaïque et sa cuve de marbre qui reçut tant de corps charmants évanouis comme des
235 ombres ; – le cubiculum[6], où flottèrent tant de rêves venus de la porte d'ivoire[7], et dont les alcôves pratiquées[8] dans le mur étaient fermées par un conopeum ou rideau dont les anneaux de bronze gisent encore à terre, le tétrastyle ou salle de récréation, la chapelle

1. **Dégouttaient :** tombaient goutte à goutte.
2. **Fouler :** marcher sur, parcourir.
3. **Cothurnes :** chaussures montantes que l'on portait dans l'Antiquité.
4. **Auguste et Tibères :** deux des premiers empereurs romains. Auguste (27 av. J.-C.-14 apr. J.-C.) ; Tibère (14-37 apr. J.-C.).
5. **Nomenclateur :** celui qui place les spectateurs, en les appelant chacun par leur nom.
6. **Cubiculum :** chambre à coucher.
7. **La porte d'ivoire :** allusion à la « porte des songes » des religions païennes. Selon les croyances gréco-latines, les esprits des morts envoient aux vivants des rêves venus des Enfers ; les songes véridiques entrent par la porte de corne, et les songes menteurs, par la porte d'ivoire.
8. **Pratiquées :** creusées.

des dieux lares[1], le cabinet des archives, la bibliothèque, le musée
240 des tableaux, le gynécée ou appartement des femmes, composé de petites chambres en partie ruinées, dont les parois conservent des traces de peintures et d'arabesques comme des joues dont on a mal essuyé le fard.

Cette inspection terminée, ils descendirent à l'étage inférieur,
245 car le sol est beaucoup plus bas du côté du jardin que du côté de la voie des Tombeaux, ils traversèrent huit salles peintes en rouge antique, dont l'une est creusée de niches architecturales, comme on en voit au vestibule de la salle des Ambassadeurs à l'Alhambra[2], et ils arrivèrent enfin à une espèce de cave ou de cellier dont la
250 destination était clairement indiquée par huit amphores d'argile dressées contre le mur et qui avaient dû être parfumées de vin de Crète, de Falerne et de Massique comme des odes d'Horace[3].

Un vif rayon de jour passait par un étroit soupirail obstrué d'orties, dont il changeait les feuilles traversées de lumières en émeraudes
255 et en topazes, et ce gai détail naturel souriait à propos à travers la tristesse du lieu.

« C'est ici, dit le cicérone de sa voix nonchalante, dont le ton s'accordait à peine avec le sens des paroles, que l'on trouva, parmi dix-sept squelettes, celui de la dame dont l'empreinte se voit au musée de
260 Naples. Elle avait des anneaux d'or, et les lambeaux de sa fine tunique adhéraient encore aux cendres tassées qui ont gardé sa forme. »

Les phrases banales du guide causèrent une vive émotion à Octavien. Il se fit montrer l'endroit exact où ces restes précieux avaient été découverts, et s'il n'eût été contenu par la présence de
265 ses amis, il se serait livré à quelque lyrisme[4] extravagant ; sa poitrine se gonflait, ses yeux se trempaient de furtives moiteurs : cette catastrophe, effacée par vingt siècles d'oubli, le touchait comme un malheur tout récent ; la mort d'une maîtresse ou d'un ami ne l'eût pas affligé davantage, et une larme en retard de deux mille

1. **Les dieux lares** : dieux du foyer, esprits protégeant une maison.
2. **L'Alhambra** : palais et forteresse des rois maures, à Grenade ; Gautier l'a décrit dans son *Voyage en Espagne* (1843).
3. **Horace** : poète latin (65-8 av. J.-C.) qui cite souvent ces vins précieux dans ses *Odes*.
4. **Lyrisme** : expression poétique passionnée.

270 ans tomba, pendant que Max et Fabio avaient le dos tourné, sur la place où cette femme, pour laquelle il se sentait pris d'un amour rétrospectif, avait péri étouffée par la cendre chaude du volcan.

« Assez d'archéologie comme cela ! s'écria Fabio ; nous ne voulons pas écrire une dissertation sur une cruche ou une tuile du 275 temps de Jules César pour devenir membre d'une académie de province, ces souvenirs classiques me creusent l'estomac. Allons dîner, si toutefois la chose est possible, dans cette osteria pittoresque, où j'ai peur qu'on ne nous serve que des beefsteacks fossiles et des œufs frais pondus avant la mort de Pline[1].

280 – Je ne dirai pas comme Boileau :

Un sot, quelquefois, ouvre un avis important[2],

fit Max en riant, ce serait malhonnête ; mais cette idée a du bon. Il eût été pourtant plus joli de festiner[3] ici, dans un triclinium quelconque, couchés à l'antique, servis par des esclaves, en manière de[4] 285 Lucullus ou de Trimalcion[5]. Il est vrai que je ne vois pas beaucoup d'huîtres du lac Lucrin[6] ; les turbots et les rougets de l'Adriatique sont absents ; le sanglier d'Apulie manque sur le marché ; les pains et les gâteaux au miel figurent au musée de Naples aussi durs que des pierres à côté de leurs moules vert-de-grisés[7] ; le macaroni 290 cru, saupoudré de cacio-cavallo[8], et quoiqu'il soit détestable, vaut encore mieux que le néant. Qu'en pense le cher Octavien ? »

Octavien, qui regrettait fort de ne pas s'être trouvé à Pompéi le jour de l'éruption du Vésuve pour sauver la dame aux anneaux d'or et mériter ainsi son amour, n'avait pas entendu une phrase de cette 295 conversation gastronomique. Les deux derniers mots prononcés par Max le frappèrent seuls, et comme il n'avait pas envie d'entamer une

1. **Pline :** Pline l'Ancien, écrivain latin (23-79 apr. J.-C.).
2. **Un avis important :** Gautier cite ici approximativement un vers de l'*Art poétique* (1674, IV, 50) de l'écrivain français Boileau.
3. **Festiner :** festoyer, faire un festin (vieilli).
4. **En manière de :** à la façon de.
5. **Lucullus et Trimalcion :** Lucullus est un général romain (106-56 av. J.-C.), et Trimalcion, un personnage du roman de Pétrone (?-66 apr. J.-C.), le *Satiricon* ; tous deux sont célèbres pour les festins immenses qu'ils donnaient.
6. **Lac Lucrin :** lac de Campanie, la région de Naples.
7. **Vert-de-grisés :** couverts d'un dépôt verdâtre, dû à l'humidité et à l'usure.
8. **Cacio-cavallo :** le cacio-cavallo est un fromage italien.

discussion, il fit, à tout hasard, un signe d'assentiment, et le groupe amical reprit, en côtoyant les remparts, le chemin de l'hôtellerie.

L'on dressa la table sous l'espèce de porche ouvert qui sert de
300 vestibule à l'osteria, et dont les murailles[1], crépies à la chaux, étaient décorées de quelques croûtes[2] qualifiées par l'hôte : Salvator Rosa, Espagnolet, cavalier Massimo[3], et autres noms célèbres de l'école napolitaine, qu'il se crut obligé d'exalter.

« Hôte vénérable, dit Fabio, ne déployez pas votre éloquence en
305 pure perte. Nous ne sommes pas des Anglais, et nous préférons les jeunes filles aux vieilles toiles. Envoyez-nous plutôt la liste de vos vins par cette belle brune, aux yeux de velours, que j'ai aperçue dans l'escalier. »

Le palforio[4], comprenant que ses hôtes n'appartenaient pas au
310 genre mystifiable[5] des philistins[6] et des bourgeois, cessa de vanter sa galerie pour glorifier sa cave. D'abord, il avait tous les vins des meilleurs crus : château-margaux, grand-lafitte retour des Indes, sillery de Moët, hochmeyer, scarlat-wine, porto et porter, ale et gingerbeer, lacryma-christi blanc et rouge, capri et falerne.

315 « Quoi ! tu as du vin de Falerne, animal, et tu le mets à la fin de ta nomenclature ; tu nous fais subir une litanie[7] œnologique[8] insupportable, dit Max en sautant à la gorge de l'hôtelier avec un mouvement de fureur comique ; mais tu n'as donc pas le sentiment de la couleur locale ? tu es donc indigne de vivre dans ce
320 voisinage antique ? Est-il bon au moins, ton falerne ? a-t-il été mis en amphore sous le consul Plancus ? – *consule Planco*[9].

---

1. **Les murailles** : les murs.
2. **Croûtes** : tableaux ratés.
3. **Salvator Rosa, Espagnolet, cavalier Massimo** : peintres ayant exercé à Naples au XVIIe siècle ; Salvator Rosa (1615-1553) ; José Ribera, dit Espagnolet (1588-1656) ; Massimo Stanzioni, dit le cavalier Massimo (1585-1656).
4. **Palforio** : hôtelier, aubergiste (du nom du personnage d'une pièce célèbre de Musset, *Les Marrons du feu*, 1829).
5. **Mystifiable** : facile à mystifier, à tromper.
6. **Philistins** : personnes sans goût, qui ne comprennent pas l'art.
7. **Litanie** : longue liste. Max désigne ainsi l'énumération interminable des vins par l'hôtelier.
8. **Œnologique** : qui concerne le vin.
9. ***Consule Planco*** : sous le consul Plancus, traduction latine de ce qui vient d'être dit.

– Je ne connais pas le consul Plancus, et mon vin n'est pas mis en amphore, mais il est vieux et coûte 10 carlins[1] la bouteille », répondit l'hôte.

325 Le jour était tombé et la nuit était venue, nuit sereine et transparente, plus claire, à coup sûr, que le plein midi de Londres ; la terre avait des tons d'azur et le ciel des reflets d'argent d'une douceur inimaginable ; l'air était si tranquille que la flamme des bougies posées sur la table n'oscillait même pas.

330 Un jeune garçon jouant de la flûte s'approcha de la table et se tint debout, fixant ses yeux sur les trois convives, dans une attitude de bas-relief, et soufflant dans son instrument aux sons doux et mélodieux, quelqu'une de ces cantilènes[2] populaires en mode mineur dont le charme est pénétrant.

335 Peut-être ce garçon descendait en droite ligne du flûteur qui précédait Duilius[3].

« Notre repas s'arrange d'une façon assez antique, il ne nous manque que des danseuses gaditanes[4] et des couronnes de lierre, dit Fabio en se versant une large rasade de vin de Falerne.

340 – Je me sens en veine de faire des citations latines comme un feuilleton des *Débats*[5] ; il me revient des strophes d'ode, ajouta Max.

– Garde-les pour toi, s'écrièrent Octavien et Fabio, justement[6] alarmés ; rien n'est indigeste comme le latin à table. »

345 La conversation entre jeunes gens qui, le cigare à la bouche, le coude sur la table, regardent un certain nombre de flacons vidés,

---

1. **Carlins :** ancienne monnaie napolitaine.
2. **Cantilènes :** chants mélancoliques.
3. **Duilius :** consul romain de l'an 260 av. J.-C. qui remporta sur les Carthaginois, à la bataille de Mylae, près de la côte de Sicile, la première victoire navale romaine. Pour récompenser Caius Duilius, le peuple romain lui permit de se faire précéder en public, à son retour des repas qu'il aurait pris hors de sa maison, d'un porte-flambeau et d'un joueur de flûte.
4. **Danseuses gaditanes :** danseuses andalouses, de Cadix (Gadès), évoquées par le poète satiriste latin Juvénal comme des danseuses lascives (*Satires*, XI, v. 162-164).
5. **Les Débats :** *Le Journal des Débats*, fondé en 1789 ; Gautier se moque ici du ton sentencieux et officiel de ce journal.
6. **Justement :** à raison.

surtout lorsque le vin est capiteux[1], ne tarde pas à tourner sur les femmes. Chacun exposa son système[2], dont voici à peu près le résumé.

350 Fabio ne faisait cas que de la beauté et de la jeunesse. Voluptueux et positif, il ne se payait pas d'illusions et n'avait en amour aucun préjugé. Une paysanne lui plaisait autant qu'une duchesse, pourvu qu'elle fût belle ; le corps le touchait plus que la robe ; il riait beaucoup de certains de ses amis amoureux de quelques 355 mètres de soie et de dentelles, et disait qu'il serait plus logique d'être épris d'un étalage de marchand de nouveautés. Ces opinions, fort raisonnables au fond, et qu'il ne cachait pas, le faisaient passer pour un homme excentrique.

Max, moins artiste que Fabio, n'aimait, lui, que les entreprises dif- 360 ficiles, que les intrigues compliquées ; il cherchait des résistances à vaincre, des vertus à séduire, et conduisait l'amour comme une partie d'échecs, avec des coups médités longtemps, des effets suspendus, des surprises et des stratagèmes dignes de Polybe[3]. Dans un salon, la femme qui paraissait avoir le moins de sympathie à 365 son endroit, était celle qu'il choisissait pour but de ses attaques ; la faire passer de l'aversion à l'amour par des transitions habiles était pour lui un plaisir délicieux ; s'imposer aux âmes qui le repoussaient, mater les volontés rebelles à son ascendant[4], lui semblait le plus doux des triomphes. Comme certains chasseurs qui courent 370 les champs, les bois et les plaines par la pluie, le soleil et la neige, avec des fatigues excessives et une ardeur que rien ne rebute, pour un maigre gibier que les trois quarts du temps ils dédaignent de manger, Max, la proie atteinte, ne s'en souciait plus, et se remettait en quête presque aussitôt.

375 Pour Octavien, il avouait que la réalité ne le séduisait guère, non qu'il fît des rêves de collégien tout pétris de lis et de roses

1. **Capiteux :** lourd, enivrant.
2. **Son système :** sa philosophie personnelle, sa façon de penser.
3. **Polybe :** général, homme d'État et grand historien grec (210-120 av. J.-C.) qui analyse dans une *Histoire générale* de son temps les raisons de la domination militaire romaine.
4. **Son ascendant :** son influence.

comme un madrigal[1] de Demoustier[2], mais il y avait autour de toute beauté trop de détails prosaïques et rebutants ; trop de pères radoteurs et décorés ; de mères coquettes, portant des fleurs naturelles dans de faux cheveux ; de cousins rougeauds et méditant des déclarations ; de tantes ridicules, amoureuses de petits chiens. Une gravure à l'aquatinte[3], d'après Horace Vernet ou Delaroche[4], accrochée dans la chambre d'une femme, suffisait pour arrêter chez lui une passion naissante. Plus poétique encore qu'amoureux, il demandait une terrasse de l'Isola-Bella, sur le lac Majeur, par un beau clair de lune, pour encadrer un rendez-vous. Il eût voulu enlever son amour du milieu de la vie commune et en transporter la scène dans les étoiles. Aussi s'était-il épris tour à tour d'une passion impossible et folle pour tous les grands types féminins conservés par l'art ou l'histoire. Comme Faust, il avait aimé Hélène[5], et il aurait voulu que les ondulations des siècles apportassent jusqu'à lui une de ces sublimes personnifications des désirs et des rêves humains, dont la forme, invisible pour les yeux vulgaires[6], subsiste toujours dans l'espace et le temps. Il s'était composé un sérail idéal avec Sémiramis, Aspasie, Cléopâtre, Diane de Poitiers, Jeanne d'Aragon[7]. Quelquefois aussi il aimait des statues, et un jour, en passant au musée devant la Vénus de Milo, il s'était écrié : « Oh !

---

1. **Un madrigal :** poésie raffinée et galante.
2. **Demoustier :** Charles-Albert Demoustier, écrivain français auteur des *Lettres à Émilie sur la mythologie* (1786), ouvrage empli de traits d'esprits et de madrigaux.
3. **Aquatinte :** gravure à l'eau-forte.
4. **Horace Vernet ou Delaroche :** peintres français, méprisés par Gautier (comme par Baudelaire), spécialisés dans la représentation de scènes d'histoire. Horace Vernet (1789-1863) ; Paul Delaroche (1797-1856).
5. **Hélène :** la femme qu'aime Faust dans le *Second Faust* de Goethe, traduit par Nerval en 1840. Le nom d'Hélène est aussi le symbole de la Grèce antique.
6. **Yeux vulgaires :** regard des gens terre à terre.
7. **Sémiramis, Aspasie, Cléopâtre, Diane de Poitiers, Jeanne d'Aragon :** nobles héroïnes et amoureuses célèbres ; Sémiramis est une reine légendaire d'Assyrie et de Babylone, et Aspasie, une femme célèbre pour sa beauté et son esprit, épouse du guerrier Périclès ; Cléopâtre est la reine de l'Égypte de 51 à 30 av. J.-C., dont Antoine fut amoureux ; Diane de Poitiers (1499-1566) fut la maîtresse d'Henri II, et Jeanne d'Aragon (1500-1577), une princesse sicilienne célébrée par les poètes pour sa beauté.

qui te rendra les bras pour m'écraser contre ton sein de marbre ! »
À Rome, la vue d'une épaisse chevelure nattée exhumée d'un
400 tombeau antique l'avait jeté dans un bizarre délire ; il avait essayé, au moyen de deux ou trois de ces cheveux obtenus d'un gardien séduit à prix d'or, et remis à une somnambule d'une grande puissance, d'évoquer l'ombre et la forme de cette morte ; mais le fluide conducteur s'était évaporé après tant d'années, et l'apparition
405 n'avait pu sortir de la nuit éternelle.

Comme Fabio l'avait deviné devant la vitrine des Studj, l'empreinte recueillie dans la cave de la villa d'Arrius Diomèdes excitait chez Octavien des élans insensés vers un idéal rétrospectif ; il tentait de sortir du temps et de la vie, et de transposer son âme au siècle de Titus[1].

410 Max et Fabio se retirèrent dans leur chambre, et, la tête un peu alourdie par les classiques fumées du falerne[2], ne tardèrent pas à s'endormir. Octavien, qui avait souvent laissé son verre plein devant lui, ne voulant pas troubler par une ivresse grossière l'ivresse poétique qui bouillonnait dans son cerveau, sentit à l'agi-
415 tation de ses nerfs que le sommeil ne lui viendrait pas, et sortit de l'osteria à pas lents pour rafraîchir son front et calmer sa pensée à l'air de la nuit.

Ses pieds, sans qu'il en eût conscience, le portèrent à l'entrée par laquelle on pénètre dans la ville morte, il déplaça la barre de bois
420 qui la ferme et s'engagea au hasard dans les décombres.

La lune illuminait de sa lueur blanche les maisons pâles, divisant les rues en deux tranches de lumière argentée et d'ombre bleuâtre. Ce jour nocturne, avec ses teintes ménagées, dissimulait la dégradation des édifices. L'on ne remarquait pas, comme à la clarté crue du
425 soleil, les colonnes tronquées, les façades sillonnées de lézardes, les toits effondrés par l'éruption ; les parties absentes se complétaient par la demi-teinte, et un rayon brusque, comme une touche de sentiment dans l'esquisse d'un tableau, indiquait tout un ensemble écroulé. Les génies taciturnes de la nuit semblaient avoir réparé la
430 cité fossile pour quelque représentation d'une vie fantastique.

Quelquefois même Octavien crut voir se glisser de vagues formes humaines dans l'ombre ; mais elles s'évanouissaient dès qu'elles

---

1. **Titus :** empereur romain (39-81 apr. J.-C.).
2. **Falerne :** vin de Campanie.

atteignaient la portion éclairée. De sourds chuchotements, une rumeur indéfinie, voltigeaient dans le silence. Notre promeneur les attribua d'abord à quelque papillonnement de ses yeux, à quelque bourdonnement de ses oreilles, – ce pouvait être aussi un jeu d'optique, un soupir de la brise marine, ou la fuite à travers les orties d'un lézard ou d'une couleuvre, car tout vit dans la nature, même la mort, tout bruit, même le silence. Cependant il éprouvait une espèce d'angoisse involontaire, un léger frisson, qui pouvait être causé par l'air froid de la nuit, et faisait frémir sa peau. Il retourna deux ou trois fois la tête ; il ne se sentait plus seul comme tout à l'heure dans la ville déserte. Ses camarades avaient-ils eu la même idée que lui, et le cherchaient-ils à travers ces ruines ? Ces formes entrevues, ces bruits indistincts de pas, était-ce Max et Fabio marchant et causant, et disparus à l'angle d'un carrefour ? Cette explication toute naturelle, Octavien comprenait à son trouble qu'elle n'était pas vraie, et les raisonnements qu'il faisait là-dessus à part lui[1] ne le convainquaient pas. La solitude et l'ombre s'étaient peuplées d'êtres invisibles qu'il dérangeait ; il tombait au milieu d'un mystère, et l'on semblait attendre qu'il fût parti pour commencer. Telles étaient les idées extravagantes qui lui traversaient la cervelle et qui prenaient beaucoup de vraisemblance de l'heure, du lieu et de mille détails alarmants que comprendront ceux qui se sont trouvés de nuit dans quelque vaste ruine.

En passant devant une maison qu'il avait remarquée pendant le jour et sur laquelle la lune donnait en plein, il vit, dans un état d'intégrité parfaite, un portique dont il avait cherché à rétablir l'ordonnance[2] : quatre colonnes d'ordre dorique[3] cannelées jusqu'à mi-hauteur, et le fût[4] enveloppé comme d'une draperie pourpre d'une teinte de minium[5], soutenaient une cimaise[6] coloriée d'orne-

---

1. **À part lui :** tout seul, en lui-même.
2. **L'ordonnance :** disposition des éléments d'une architecture.
3. **Ordre dorique :** le premier et le plus simple des trois ordres ou styles de l'architecture grecque.
4. **Le fût :** le corps de la colonne.
5. **Minium :** poudre rouge.
6. **Cimaise :** moulure qui forme la partie supérieure d'une corniche (ornement couronnant l'édifice).

ments polychromes[1], que le décorateur semblait avoir achevée hier ; sur la paroi latérale de la porte un molosse[2] de Laconie[3], exécuté à l'encaustique[4] et accompagné de l'inscription sacra-
465 mentelle[5] : *Cave canem*[6], aboyait à la lune et aux visiteurs avec une fureur peinte. Sur le seuil de mosaïque le mot *Ave*, en lettres osques[7] et latines, saluait les hôtes de ses syllabes amicales. Les murs extérieurs, teints d'ocre et de rubrique, n'avaient pas une crevasse. La maison s'était exhaussée d'un étage, et le toit de tuiles
470 dentelé d'un acrotère[8] de bronze, projetait son profil intact sur le bleu léger du ciel où pâlissaient quelques étoiles.

Cette restauration étrange, faite de l'après-midi au soir par un architecte inconnu, tourmentait beaucoup Octavien, sûr d'avoir vu cette maison le jour même dans un fâcheux état de ruine. Le
475 mystérieux reconstructeur avait travaillé bien vite, car les habitations voisines avaient le même aspect récent et neuf ; tous les piliers étaient coiffés de leurs chapiteaux ; pas une pierre, pas une brique, pas une pellicule de stuc, pas une écaille de peinture ne manquaient aux parois luisantes des façades, et par l'interstice des
480 péristyles on entrevoyait, autour du bassin de marbre du cavaedium[9], des lauriers roses et blancs, des myrtes[10] et des grenadiers. Tous les historiens s'étaient trompés ; l'éruption n'avait pas eu lieu, ou bien l'aiguille du temps avait reculé de vingt heures séculaires[11] sur le cadran de l'éternité.

485 Octavien, surpris au dernier point, se demanda s'il dormait tout debout et marchait dans un rêve. Il s'interrogea sérieusement pour

---

1. **Polychromes :** multicolores.
2. **Un molosse :** un chien colossal.
3. **Laconie :** région du Péloponnèse, en Grèce, connue pour ses chiens féroces.
4. **Encaustique :** procédé de peinture, où les couleurs sont délayées dans de la cire fondue.
5. **Sacramentelle :** rituelle, sacrée.
6. ***Cave canem :*** attention au chien (en latin).
7. **Osques :** l'osque est une langue italique parlée par un peuple de Campanie.
8. **Acrotère :** socle servant de support à une statue, placé au sommet d'un fronton.
9. **Cavaedium :** cour intérieure.
10. **Myrtes :** arbres méditerranéens à fleurs blanches.
11. **Vingt heures séculaires :** deux siècles.

savoir si la folie ne faisait pas danser devant lui ses hallucinations ; mais il fut obligé de reconnaître qu'il n'était ni endormi ni fou.

Un changement singulier avait eu lieu dans l'atmosphère ; de 490 vagues teintes roses se mêlaient, par dégradations violettes, aux lueurs azurées de la lune ; le ciel s'éclaircissait sur les bords ; on eût dit que le jour allait paraître. Octavien tira sa montre ; elle marquait minuit. Craignant qu'elle ne fût arrêtée, il poussa le ressort de la répétition[1] ; la sonnerie tinta douze fois ; il était bien minuit, 495 et cependant la clarté allait toujours augmentant, la lune se fondait dans l'azur de plus en plus lumineux ; le soleil se levait.

Alors Octavien, en qui toutes les idées de temps se brouillaient, put se convaincre qu'il se promenait non dans une Pompéi morte, froid cadavre de ville qu'on a tiré à demi de son linceul, mais dans 500 une Pompéi vivante, jeune, intacte, sur laquelle n'avaient pas coulé les torrents de boue brûlante du Vésuve.

Un prodige inconcevable le reportait, lui, Français du XIXe siècle, au temps de Titus, non en esprit, mais en réalité, ou faisait revenir à lui, du fond du passé, une ville détruite avec ses habitants dispa- 505 rus ; car un homme vêtu à l'antique venait de sortir d'une maison voisine.

Cet homme portait les cheveux courts et la barbe rasée, une tunique de couleur brune et un manteau grisâtre, dont les bouts étaient retroussés de manière à ne pas gêner sa marche ; il allait 510 d'un pas rapide, presque cursif[2], et passa à côté d'Octavien sans le voir. Un panier de sparterie[3] pendait à son bras, et il se dirigeait vers le Forum Nundinarium ; – c'était un esclave, un Davus[4] quelconque allant au marché ; il n'y avait pas à s'y tromper.

Des bruits de roues se firent entendre, et un char antique, traîné 515 par des bœufs blancs et chargé de légumes, s'engagea dans la rue. À côté de l'attelage marchait un bouvier[5] aux jambes nues et brûlées par le soleil, aux pieds chaussés de sandales, et vêtu d'une

1. **La répétition :** mécanisme particulier d'une montre.
2. **Cursif :** rapide, expéditif.
3. **Sparterie :** panier en fibres végétales.
4. **Davus :** esclave (nom communément donné au personnage de l'esclave dans les comédies latines).
5. **Un bouvier :** un marchand de bœufs ou un gardien de bœufs.

espèce de chemise de toile bouffant à la ceinture ; un chapeau de paille conique, rejeté derrière le dos et retenu au col par la men-
520 tonnière, laissait voir sa tête d'un type inconnu aujourd'hui, son front bas traversé de dures nodosités[1], ses cheveux crépus et noirs, son nez droit, ses yeux tranquilles comme ceux de ses bœufs, et son cou d'Hercule campagnard. Il touchait gravement ses bêtes de l'aiguillon, avec une pose de statue à faire tomber Ingres[2] en
525 extase.

Le bouvier aperçut Octavien et parut surpris, mais il continua sa route ; une fois il retourna la tête, ne trouvant pas sans doute d'explication à l'aspect de ce personnage étrange pour lui, mais laissant, dans sa placide stupidité rustique, le mot de l'énigme à de
530 plus habiles.

Des paysans campaniens parurent aussi, poussant devant eux des ânes chargés d'outres de vin, et faisant tinter des sonnettes d'airain ; leur physionomie différait de celle des paysans d'aujourd'hui comme une médaille diffère d'un sou.

535 La ville se peuplait graduellement comme un de ces tableaux de diorama[3], d'abord déserts, et qu'un changement d'éclairage anime de personnages invisibles jusque-là.

Les sentiments qu'éprouvait Octavien avaient changé de nature. Tout à l'heure, dans l'ombre trompeuse de la nuit, il était en proie
540 à ce malaise dont les plus braves ne se défendent pas, au milieu de circonstances inquiétantes et fantastiques que la raison ne peut expliquer. Sa vague terreur s'était changée en stupéfaction profonde ; il ne pouvait douter, à la netteté de leurs perceptions, du témoignage de ses sens, et cependant ce qu'il voyait était par-
545 faitement incroyable. – Mal convaincu encore, il cherchait par la constatation de petits détails réels à se prouver qu'il n'était pas le jouet d'une hallucination. – Ce n'étaient pas des fantômes qui défilaient sous ses yeux, car la vive lumière du soleil les illuminait

1. **Nodosités :** formations dures et noueuses qui apparaissent sous la peau.
2. **Ingres :** peintre néoclassique français (1780-1867).
3. **Diorama :** tableau représentant des paysages ou des figures, que les spectateurs, placés dans l'obscurité, voyaient à travers une espèce de corridor noir, tandis que le tableau lui-même était éclairé. Ce dispositif optique spectaculaire était particulièrement apprécié dans le Paris du XIXe siècle.

avec une réalité irrécusable, et leurs ombres allongées par le matin
550 se projetaient sur les trottoirs et les murailles[1]. – Ne comprenant rien à ce qui lui arrivait, Octavien, ravi au fond de voir un de ses rêves les plus chers accompli, ne résista plus à son aventure, il se laissa faire à toutes ces merveilles, sans prétendre s'en rendre compte ; il se dit que puisque en vertu d'un pouvoir mystérieux
555 il lui était donné de vivre quelques heures dans un siècle disparu, il ne perdrait pas son temps à chercher la solution d'un problème incompréhensible, et il continua bravement sa route, en regardant à droite et à gauche ce spectacle si vieux et si nouveau pour lui. Mais à quelle époque de la vie de Pompéi était-il transporté ? Une
560 inscription d'édilité[2], gravée sur une muraille, lui apprit, par le nom des personnages publics, qu'on était au commencement du règne de Titus, – soit en l'an 79 de notre ère. – Une idée subite traversa l'âme d'Octavien ; la femme dont il avait admiré l'empreinte au musée de Naples devait être vivante, puisque l'éruption du
565 Vésuve dans laquelle elle avait péri eut lieu le 24 août de cette même année ; il pouvait donc la retrouver, la voir, lui parler... Le désir fou qu'il avait ressenti à l'aspect de cette cendre moulée sur des contours divins allait peut-être se satisfaire, car rien ne devait être impossible à un amour qui avait eu la force de faire reculer
570 le temps, et passer deux fois la même heure dans le sablier de l'éternité.

Pendant qu'Octavien se livrait à ces réflexions, de belles jeunes filles se rendaient aux fontaines, soutenant du bout de leurs doigts blancs des urnes en équilibre sur leur tête ; des patriciens[3] en
575 toges blanches bordées de bandes de pourpre, suivis de leur cortège de clients, se dirigeaient vers le forum. Les acheteurs se pressaient autour des boutiques, toutes désignées par des enseignes sculptées et peintes, et rappelant par leur petitesse et leur forme les boutiques moresques d'Alger ; au-dessus de la plupart de ces
580 échoppes, un glorieux phallus[4] de terre cuite colorié et l'inscription

---

1. **Les murailles :** les murs.
2. **Inscription d'édilité :** affichage municipal.
3. **Patriciens :** nobles, issus des grandes familles romaines.
4. **Phallus :** sexe masculin, dont la représentation est un symbole de fécondité.

hic habitat felicitas[1], témoignaient de précautions superstitieuses contre le mauvais œil[2] ; Octavien remarqua même une boutique d'amulettes dont l'étalage était chargé de cornes, de branches de corail bifurquées, et de petits Priapes[3] en or, comme on en trouve
585 encore à Naples aujourd'hui, pour se préserver de la jettature[4], et il se dit qu'une superstition durait plus qu'une religion.

En suivant le trottoir qui borde chaque rue de Pompéi, et enlève ainsi aux Anglais la confortabilité de cette invention, Octavien se trouva face à face avec un beau jeune homme, de son âge à peu
590 près, vêtu d'une tunique couleur de safran, et drapé d'un manteau de fine laine blanche, souple comme du cachemire. La vue d'Octavien, coiffé de l'affreux chapeau moderne, sanglé dans une mesquine redingote noire, les jambes emprisonnées dans un pantalon, les pieds pincés par des bottes luisantes, parut surprendre le jeune
595 Pompéien, comme nous étonnerait, sur le boulevard de Gand[5], un Ioway ou un Botocudo[6] avec ses plumes, ses colliers de griffes d'ours et ses tatouages baroques. Cependant, comme c'était un jeune homme bien élevé, il n'éclata pas de rire au nez d'Octavien, et prenant en pitié ce pauvre barbare[7] égaré dans cette ville gréco-
600 romaine, il lui dit d'une voix accentuée et douce :

« *Advena, salve*[8]. »

Rien n'était plus naturel qu'un habitant de Pompéi, sous le règne du divin empereur Titus, très puissant et très auguste, s'exprimât en latin, et pourtant Octavien tressaillit en entendant cette langue
605 morte dans une bouche vivante. C'est alors qu'il se félicita d'avoir

---

1. ***Hic habitat felicitas* :** « Ici réside le bonheur » (en latin).
2. **Le mauvais œil :** superstition napolitaine, selon laquelle certaines personnes peuvent jeter un sort uniquement par le regard.
3. **Priapes :** statuettes du dieu de la Fécondité et de la Virilité, qui est pourvu d'un sexe en érection perpétuelle.
4. **Jettature :** de l'italien *jettatura*, autre nom du « mauvais œil ». Gautier décrira cette croyance dans sa nouvelle *Jettatura*, en 1857.
5. **Gand :** ville belge ; Gand symbolise ici un endroit où l'on ne s'attend pas à voir surgir un personnage exotique.
6. **Un Ioway ou un Botocudo :** un Indien d'Amérique du Nord ou un Indien du Brésil.
7. **Barbare :** étranger ; le mot n'a pas ici de nuance péjorative.
8. ***Advena, salve* :** « Salut, étranger ! » (en latin).

été fort en thème[1], et remporté des prix au concours général[2]. Le latin enseigné par l'Université lui servit en cette occasion unique, et rappelant en lui ses souvenirs de classe, il répondit au salut du Pompéien en style de *De viris illustribus*[3] et de *Selectae e profanis*[4], d'une façon suffisamment intelligible, mais avec un accent parisien qui fit sourire le jeune homme.

« Il te sera peut-être plus facile de parler grec, dit le Pompéien ; je sais aussi cette langue, car j'ai fait mes études à Athènes.

– Je sais encore moins de grec que de latin, répondit Octavien ; je suis du pays des Gaulois, de Paris, de Lutèce.

– Je connais ce pays. Mon aïeul a fait la guerre dans les Gaules sous le grand Jules César. Mais quel étrange costume portes-tu ? Les Gaulois que j'ai vus à Rome n'étaient pas habillés ainsi. »

Octavien entreprit de faire comprendre au jeune Pompéien que vingt siècles s'étaient écoulés depuis la conquête de la Gaule par Jules César, et que la mode avait pu changer ; mais il y perdit son latin, et à vrai dire ce n'était pas grand-chose.

« Je me nomme Rufus Holconius[5] et ma maison est la tienne, dit le jeune homme ; à moins que tu ne préfères la liberté de la taverne : on est bien à l'auberge d'Albinus, près de la porte du faubourg d'Augustus Felix, et à l'hôtellerie de Sarinus, fils de Publius, près de la deuxième tour ; mais si tu veux, je te servirai de guide dans cette ville inconnue pour toi ; – tu me plais, jeune barbare, quoique tu aies essayé de te jouer de ma crédulité en prétendant que l'empereur Titus, qui règne aujourd'hui, était mort depuis deux mille ans, et que le Nazaréen[6], dont les infâmes sectateurs[7],

---

1. **Fort en thème :** doué pour les exercices scolaires.
2. **Concours général :** concours auquel participent les meilleurs élèves à la fin du lycée.
3. ***De viris illustribus :*** *Des hommes illustres,* ouvrage de l'abbé Charles François Lhomond (1727-1794). Ce texte dont le latin est facile à comprendre a été très utilisé pour l'apprentissage de la langue.
4. ***Selectae e profanis :*** *Selectae e profanis historibus historiae,* ouvrage de Jean Heuzet de 1781, lui aussi utilisé en classe au XIXe siècle.
5. **Rufus Holconius :** nom réel que l'on trouve dans les inscriptions de Pompéi.
6. **Le Nazaréen :** l'un des noms donnés à Jésus, originaire de la ville de Nazareth.
7. **Sectateurs :** membres d'une secte (le Pompéien désigne ici les chrétiens, adeptes du Christ).

enduits de poix, ont éclairé les jardins de Néron[1], trône seul en maître dans le ciel désert, d'où les grands dieux sont tombés. – Par Pollux ! ajouta-t-il en jetant les yeux sur une inscription rouge 635 tracée à l'angle d'une rue, tu arrives à propos, l'on donne la *Casina* de Plaute[2], récemment remise au théâtre ; c'est une curieuse et bouffonne comédie qui t'amusera, n'en comprendrais-tu que la pantomime[3]. Suis-moi, c'est bientôt l'heure ; je te ferai placer au banc des hôtes et des étrangers. »

640 Et Rufus Holconius se dirigea du côté du petit théâtre comique que les trois amis avaient visité dans la journée.

Le Français et le citoyen de Pompéi prirent les rues de la Fontaine d'Abondance, des Théâtres, longèrent le collège et le temple d'Isis, l'atelier du statuaire, et entrèrent dans l'Odéon ou théâtre comique 645 par un vomitoire[4] latéral. Grâce à la recommandation d'Holconius, Octavien fut placé près du proscenium, un endroit qui répondrait à nos baignoires[5] d'avant-scène. Tous les regards se tournèrent aussitôt vers lui avec une curiosité bienveillante et un léger susurrement courut dans l'amphithéâtre.

650 La pièce n'était pas encore commencée ; Octavien en profita pour regarder la salle. Les gradins demi-circulaires, terminés de chaque côté par une magnifique patte de lion sculptée en lave du Vésuve, partaient en s'élargissant d'un espace vide correspondant à notre parterre, mais beaucoup plus restreint, et pavé d'une mosaïque 655 de marbres grecs ; un gradin plus large formait, de distance en distance, une zone distinctive, et quatre escaliers correspondant aux vomitoires et montant de la base au sommet de l'amphithéâtre, le divisaient en cinq coins plus larges du haut que du bas. Les spectateurs, munis de leurs billets, consistant en petites lames d'ivoire où 660 étaient désignés, par leurs numéros d'ordre, la travée, le coin et le gradin, avec le titre de la pièce représentée et le nom de son auteur, arrivaient aisément à leurs places. Les magistrats, les nobles, les

1. **Ont éclairé les jardins de Néron :** ont été martyres, brûlés par ordre de Néron.
2. **Plaute :** auteur latin de comédies (254-184 av. J.-C.).
3. **La pantomime :** séquences théâtrales où un acteur exprime les passions, les sentiments, et même les idées, par des gestes et des attitudes, sans prononcer aucun mot.
4. **Vomitoire :** allée intérieure par laquelle la foule circulait dans un théâtre antique.
5. **Baignoires :** loges de rez-de-chaussée dans une salle de théâtre.

hommes mariés, les jeunes gens, les soldats, dont on voyait luire les casques de bronze, occupaient des rangs séparés. – C'était un spectacle admirable que ces belles toges et ces larges manteaux blancs bien drapés, s'étalant sur les premiers gradins et contrastant avec les parures variées des femmes, placées au-dessus, et les capes grises des gens du peuple, relégués aux bancs supérieurs, près des colonnes qui supportent le toit, et qui laissaient apercevoir, par leurs interstices, un ciel d'un bleu intense comme le champ d'azur[1] d'une panathénée[2] ; – une fine pluie d'eau, aromatisée de safran, tombait des frises en gouttelettes imperceptibles, et parfumait l'air qu'elle rafraîchissait. Octavien pensa aux émanations fétides qui vicient l'atmosphère de nos théâtres, si incommodes qu'on peut les considérer comme des lieux de torture, et il trouva que la civilisation n'avait pas beaucoup marché.

Le rideau, soutenu par une poutre transversale, s'abîma dans les profondeurs de l'orchestre, les musiciens s'installèrent dans leur tribune, et le Prologue[3] parut vêtu grotesquement et la tête coiffée d'un masque difforme, adapté comme un casque.

Le Prologue, après avoir salué l'assistance et demandé les applaudissements, commença une argumentation bouffonne. « Les vieilles pièces, disait-il, étaient comme le vin qui gagne avec les années, et la *Casina*, chère aux vieillards, ne devait pas l'être moins aux jeunes gens ; tous pouvaient y prendre plaisir : les uns parce qu'ils la connaissaient, les autres parce qu'ils ne la connaissaient pas. La pièce avait été, du reste, remise avec soin, et il fallait l'écouter l'âme libre de tout souci, sans penser à ses dettes, ni à ses créanciers, car on n'arrête pas au théâtre ; c'était un jour heureux, il faisait beau, et les alcyons[4] planaient sur le forum. » Puis il fit une analyse de la comédie que les acteurs allaient représenter, avec un détail qui prouve que la surprise entrait pour peu de chose dans le

1. **Le champ d'azur :** l'étendue bleue.
2. **Panathénée :** référence probable à une frise du Parthénon (à Athènes) au fond bleu, représentant la procession des panathénées, fêtes données en l'honneur de la déesse Athéna.
3. **Prologue :** ici, personnage présentant aux spectateurs le sujet ou l'action au début d'une pièce de théâtre.
4. **Alcyons :** oiseaux fabuleux qui annoncent la paix.

plaisir que les anciens prenaient au théâtre ; il raconta comment le vieillard Stalino, amoureux de sa belle esclave Casina, veut la
695 marier à son fermier Olympio, époux complaisant qu'il remplacera dans la nuit des noces ; et comment Lycostrata, la femme de Stalino, pour contrecarrer la luxure de son vicieux mari, veut unir Casina à l'écuyer Chalinus, dans l'idée de favoriser les amours de son fils ; enfin la manière dont Stalino, mystifié, prend un jeune
700 esclave déguisé pour Casina, qui, reconnue libre et de naissance ingénue, épouse le jeune maître, qu'elle aime et dont elle est aimée.

Le jeune Français regardait distraitement les acteurs, avec leurs masques aux bouches de bronze, s'évertuer sur la scène ; les escla-
705 ves couraient çà et là pour simuler l'empressement ; le vieillard hochait la tête et tendait ses mains tremblantes ; la matrone[1], le verbe haut[2], l'air revêche[3] et dédaigneux, se carrait dans son importance et querellait son mari, au grand amusement de la salle. – Tous ces personnages entraient et sortaient par trois portes prati-
710 quées dans le mur du fond et communiquant au foyer des acteurs. – La maison de Stalino occupait un coin du théâtre, et celle de son vieil ami Alcésimus lui faisait face. Ces décorations, quoique très bien peintes, étaient plutôt représentatives de l'idée d'un lieu que du lieu lui-même, comme les coulisses vagues du théâtre
715 classique.

Quand la pompe nuptiale[4] conduisant la fausse Casina fit son entrée sur la scène, un immense éclat de rire, comme celui qu'Homère attribue aux dieux, circula sur tous les bancs de l'amphithéâtre, et des tonnerres d'applaudissements firent vibrer les échos de l'enceinte ;
720 mais Octavien n'écoutait plus et ne regardait plus.

Dans la travée[5] des femmes, il venait d'apercevoir une créature d'une beauté merveilleuse. À dater de ce moment, les charmants visages qui avaient attiré son œil s'éclipsèrent comme les étoiles devant

---

1. **Matrone :** type de comédie, dame romaine souvent assez grosse.
2. **Le verbe haut :** qui parle fort.
3. **Revêche :** d'un abord difficile.
4. **La pompe nuptiale :** la cérémonie des noces.
5. **La travée :** les rangs.

Phœbé[1] ; tout s'évanouit, tout disparut comme dans un songe ; un brouillard estompa les gradins fourmillants de monde, et la voix criarde des acteurs semblait se perdre dans un éloignement infini.

Il avait reçu au cœur comme une commotion électrique, et il lui semblait qu'il jaillissait des étincelles de sa poitrine lorsque le regard de cette femme se tournait vers lui.

Elle était brune et pâle ; ses cheveux ondés et crêpelés, noirs comme ceux de la nuit, se relevaient légèrement vers les tempes à la mode grecque, et dans son visage d'un ton mat brillaient des yeux sombres et doux, chargés d'une indéfinissable expression de tristesse voluptueuse et d'ennui passionné ; sa bouche, dédaigneusement arquée[2] à ses coins, protestait par l'ardeur vivace de sa pourpre enflammée contre la blancheur tranquille du masque ; son col présentait ces belles lignes pures qu'on ne retrouve à présent que dans les statues. Ses bras étaient nus jusqu'à l'épaule, et de la pointe de ses seins orgueilleux, soulevant sa tunique d'un rose mauve, partaient deux plis qu'on aurait pu croire fouillés dans le marbre par Phidias ou Cléomène[3].

La vue de cette gorge d'un contour si correct, d'une coupe si pure, troubla magnétiquement Octavien ; il lui sembla que ces rondeurs s'adaptaient parfaitement à l'empreinte en creux du musée de Naples, qui l'avait jeté dans une si ardente rêverie, et une voix lui cria au fond du cœur que cette femme était bien la femme étouffée par la cendre du Vésuve à la villa d'Arrius Diomèdes. Par quel prodige la voyait-il vivante, assistant à la représentation de la Casina de Plaute ? Il ne chercha pas à se l'expliquer ; d'ailleurs, comment était-il là lui-même ? Il accepta sa présence comme dans le rêve on admet l'intervention de personnes mortes depuis longtemps et qui agissent pourtant avec les apparences de la vie ; d'ailleurs son émotion ne lui permettait aucun raisonnement. Pour lui, la roue du temps était sortie de son ornière[4], et son désir

---

1. **Phœbé :** nom donné à la Lune.
2. **Arquée :** courbée.
3. **Phidias ou Cléomène :** célèbres sculpteurs grecs, souvent cités par Gautier comme modèles d'artistes. Phidias (490-431 av. J.-C.) ; Cléomène (260-219 av. J.-C.).
4. **La roue du temps était sortie des son ornière :** Gautier traduit ici une formule célèbre du *Hamlet* de Shakespeare : « The time is out of joint » (I, 5, v. 189).

755 vainqueur choisissait sa place parmi les siècles écoulés ! Il se trouvait face à face avec sa chimère, une des plus insaisissables, une chimère rétrospective. Sa vie se remplissait d'un seul coup.

En regardant cette tête si calme et si passionnée, si froide et si ardente, si morte et si vivace, il comprit qu'il avait devant lui son 760 premier et son dernier amour, sa coupe d'ivresse suprême ; il sentit s'évanouir comme des ombres légères les souvenirs de toutes les femmes qu'il avait cru aimer, et son âme redevenir vierge de toute émotion antérieure. Le passé disparut.

Cependant la belle Pompéienne, le menton appuyé sur la paume 765 de la main, lançait sur Octavien, tout en ayant l'air de s'occuper de la scène, le regard velouté de ses yeux nocturnes, et ce regard lui arrivait lourd et brûlant comme un jet de plomb fondu. Puis elle se pencha vers l'oreille d'une fille assise à son côté.

La représentation s'acheva ; la foule s'écoula par les vomitoires. 770 Octavien, dédaignant les bons offices de son guide Holconius, s'élança par la première sortie qui s'offrit à ses pas. À peine eut-il atteint la porte, qu'une main se posa sur son bras, et qu'une voix féminine lui dit d'un ton bas, mais de manière à ce qu'il ne perdît pas un mot :

775 « Je suis Tyché Novoleja, commise aux plaisirs d'Arria Marcella, fille d'Arrius Diomèdes. Ma maîtresse vous aime, suivez-moi. »

Arria Marcella venait de monter dans sa litière portée par quatre forts esclaves syriens nus jusqu'à la ceinture, et faisant miroiter au soleil leurs torses de bronze. Le rideau de la litière s'entrouvrit, et 780 une main pâle, étoilée de bagues, fit un signe amical à Octavien, comme pour confirmer les paroles de la suivante. Le pli de pourpre retomba, et la litière s'éloigna au pas cadencé des esclaves.

Tyché fit passer Octavien par des chemins détournés, coupant les rues en posant légèrement le pied sur les pierres espacées qui 785 relient les trottoirs et entre lesquelles roulent les roues des chars, et se dirigeant à travers le dédale avec la précision que donne la familiarité d'une ville. Octavien remarqua qu'il franchissait des quartiers de Pompéi que les fouilles n'ont pas découverts, et qui lui étaient en conséquence complètement inconnus. Cette circons-790 tance étrange parmi tant d'autres ne l'étonna pas. Il était décidé à ne s'étonner de rien. Dans toute cette fantasmagorie archaïque, qui eût fait devenir un antiquaire fou de bonheur, il ne voyait plus que l'œil noir et profond d'Arria Marcella et cette gorge superbe victorieuse des siècles, et que la destruction même a voulu conserver.

795 Ils arrivèrent à une porte dérobée qui s'ouvrit et se ferma aussitôt, et Octavien se trouva dans une cour entourée de colonnes de marbre grec d'ordre ionique[1] peintes, jusqu'à moitié de leur hauteur, d'un jaune vif, et le chapiteau relevé d'ornements rouges et bleus ; une guirlande d'aristoloche[2] suspendait ses larges feuilles 800 vertes en forme de cœur aux saillies de l'architecture comme une arabesque naturelle, et près d'un bassin encadré de plantes, un flamant rose se tenait debout sur une patte, fleur de plume parmi les fleurs végétales.

Des panneaux de fresque représentant des architectures capri- 805 cieuses ou des paysages de fantaisie décoraient les murailles. Octavien vit tous ces détails d'un coup d'œil rapide, car Tyché le remit aux mains des esclaves baigneurs qui firent subir à son impatience toutes les recherches des thermes antiques. Après avoir passé par les différents degrés de chaleur vaporisée, supporté le 810 racloir du strigillaire[3], senti ruisseler sur lui les cosmétiques et les huiles parfumées, il fut revêtu d'une tunique blanche, et retrouva à l'autre porte Tyché, qui lui prit la main et le conduisit dans une autre salle extrêmement ornée.

Sur le plafond était peints, avec une pureté de dessin, un éclat 815 de coloris et une liberté de touche qui sentaient le grand maître et non plus le simple décorateur à l'adresse vulgaire, Mars, Vénus et l'Amour ; une frise composée de cerfs, de lièvres et d'oiseaux se jouant parmi les feuillages régnait au-dessus d'un revêtement de marbre cipolin[4] ; la mosaïque du pavé, travail merveilleux dû 820 peut-être à Sosimus de Pergame, représentait des reliefs[5] de festin exécutés avec un art qui faisait illusion.

---

1. **Ordre ionique** : deuxième ordre architectural grec.
2. **Aristoloche** : plante grimpante décorative.
3. **Strigillaire** : masseur des thermes romains, qui utilisait un instrument de fer, le racloir, pour nettoyer énergiquement la peau.
4. **Marbre cipolin** : marbre de couleur claire, composé de petites veines de pierre serpentine.
5. **Reliefs** : restes.

Au fond de la salle, sur un biclinium ou lit à deux places, était accoudée Arria Marcella dans une pose voluptueuse et sereine qui rappelait la femme couchée de Phidias sur le fronton du Parthénon ; ses chaussures, brodées de perles, gisaient au bas du lit, et son beau pied nu, plus pur et plus blanc que le marbre, s'allongeait au bout d'une légère couverture de byssus[1] jetée sur elle.

Deux boucles d'oreilles faites en forme de balance et portant des perles sur chaque plateau tremblaient dans la lumière au long de ses joues pâles ; un collier de boules d'or, soutenant des grains allongés en poire, circulait sur sa poitrine laissée à demi découverte par le pli négligé d'un péplum[2] de couleur paille bordé d'une grecque noire ; une bandelette noir et or passait et luisait par place dans ses cheveux d'ébène, car elle avait changé de costume en revenant du théâtre ; et autour de son bras, comme l'aspic autour du bras de Cléopâtre, un serpent d'or, aux yeux de pierreries, s'enroulait à plusieurs reprises et cherchait à se mordre la queue.

Une petite table à pieds de griffons[3], incrustée de nacre, d'argent et d'ivoire, était dressée près du lit à deux places, chargée de différents mets servis dans des plats d'argent et d'or ou de terre émaillée de peintures précieuses. On y voyait un oiseau du Phase[4] couché dans ses plumes, et divers fruits que leurs saisons empêchent de se rencontrer ensemble.

Tout paraissait indiquer qu'on attendait un hôte ; des fleurs fraîches jonchaient le sol, et les amphores de vin étaient plongées dans des urnes pleines de neige.

Arria Marcella fit signe à Octavien de s'étendre à côté d'elle sur le biclinium et de prendre part au repas ; – le jeune homme, à demi fou de surprise et d'amour, prit au hasard quelques bouchées sur les plats que lui tendaient de petits esclaves asiatiques aux cheveux frisés, à la courte tunique. Arria ne mangeait pas, mais

---

1. **Byssus :** lin très fin.
2. **Péplum :** tunique de femme.
3. **Griffons :** monstres fabuleux représentés avec un corps de lion, une tête et des ailes d'aigles.
4. **Oiseau du Phase :** faisan ; le Phase est un fleuve de la Colchide (contrée d'Asie, située entre la mer Noire et le Caucase), aujourd'hui appelé le Rioni.

elle portait souvent à ses lèvres un vase myrrhin[1] aux teintes opalines[2] rempli d'un vin d'une pourpre sombre comme du sang figé ; à mesure qu'elle buvait, une imperceptible vapeur rose montait à 855 ses joues pâles, de son cœur nu qui n'avait pas battu depuis tant d'années ; cependant son bras nu, qu'Octavien effleura en soulevant sa coupe, était froid comme la peau d'un serpent ou le marbre d'une tombe.

« Oh ! lorsque tu t'es arrêté aux Studj à contempler le morceau 860 de boue durcie qui conserve ma forme, dit Arria Marcella en tournant son long regard humide vers Octavien, et que ta pensée s'est élancée ardemment vers moi, mon âme l'a senti dans ce monde où je flotte invisible pour les yeux grossiers ; la croyance fait le dieu, et l'amour fait la femme. On n'est véritablement morte que quand 865 on n'est plus aimée ; ton désir m'a rendu la vie, la puissante évocation de ton cœur a supprimé les distances qui nous séparaient. »

L'idée d'évocation amoureuse qu'exprimait la jeune femme rentrait dans les croyances philosophiques d'Octavien, croyances que nous ne sommes pas loin de partager.

870 En effet, rien ne meurt, tout existe toujours ; nulle force ne peut anéantir ce qui fut une fois. Toute action, toute parole, toute forme, toute pensée tombée dans l'océan universel des choses y produit des cercles qui vont s'élargissant jusqu'aux confins de l'éternité. La figuration matérielle ne disparaît que pour les regards vulgaires, 875 et les spectres qui s'en détachent peuplent l'infini. Pâris[3] continue d'enlever Hélène dans une région inconnue de l'espace. La galère de Cléopâtre gonfle ses voiles de soie sur l'azur d'un Cydnus[4] idéal. Quelques esprits passionnés et puissants ont pu amener à eux des siècles écoulés en apparence, et faire revivre des personnages 880 morts pour tous. Faust a eu pour maîtresse la fille de Tyndare[5], et l'a conduite à son château gothique, du fond des abîmes mysté-

1. **Myrrhin :** fait dans une roche précieuse.
2. **Opalines :** d'un blanc laiteux et aux reflets irisés.
3. **Pâris :** héros troyen, fil de Priam et d'Hécube, qui enleva Hélène de Sparte.
4. **Cydnus :** fleuve d'Asie Mineure ; l'empereur romain Marc Aurèle y donna une fête en l'honneur de Cléopâtre.
5. **La fille de Tyndare :** Hélène.

rieux de l'Hadès[1]. Octavien venait de vivre un jour sous le règne de Titus et de se faire aimer d'Arria Marcella, fille d'Arrius Diomèdes, couchée en ce moment près de lui sur un lit antique dans une ville
885 détruite pour tout le monde.

« À mon dégoût des autres femmes, répondit Octavien, à la rêverie invincible qui m'entraînait vers ses types radieux au fond des siècles comme des étoiles provocatrices, je comprenais que je n'aimerais jamais que hors du temps et de l'espace. C'était toi que
890 j'attendais, et ce frêle vestige conservé par la curiosité des hommes m'a par son secret magnétisme mis en rapport avec ton âme. Je ne sais si tu es un rêve ou une réalité, un fantôme ou une femme, si comme Ixion[2] je serre un nuage sur ma poitrine abusée[3], si je suis le jouet d'un vil prestige de sorcellerie, mais ce que je sais bien,
895 c'est que tu seras mon premier et mon dernier amour.

– Qu'Éros, fils d'Aphrodite, entende ta promesse, dit Arria Marcella en inclinant sa tête sur l'épaule de son amant qui la souleva avec une étreinte passionnée. Oh ! serre-moi sur ta jeune poitrine, enveloppe-moi de ta tiède haleine, j'ai froid d'être restée si longtemps sans
900 amour. » Et contre son cœur Octavien sentait s'élever et s'abaisser ce beau sein, dont le matin même il admirait le moule à travers la vitre d'une armoire de musée ; la fraîcheur de cette belle chair le pénétrait à travers sa tunique et le faisait brûler. La bandelette or et noir s'était détachée de la tête d'Arria passionnément renversée,
905 et ses cheveux se répandaient comme un fleuve noir sur l'oreiller bleu.

Les esclaves avaient emporté la table. On n'entendit plus qu'un bruit confus de baisers et de soupirs. Les cailles familières, insouciantes de cette scène amoureuse, picoraient, sur le pavé mosaïque,
910 les miettes du festin en poussant de petits cris.

---

1. **Hadès :** appelé aussi Pluton ; personnage de la mythologie grecque. Fils de Cronos, Hadès, après le partage de l'Univers en trois parties, acquit la possession du monde inférieur, tandis que son frère Zeus régnait sur les cieux, et Poséidon, sur les mers.
2. **Ixion :** personnage de la mythologie qui avait tenté de séduire Junon, reine du ciel, sœur et épouse de Jupiter ; Jupiter s'en était vengé en lui envoyant un nuage ayant la forme d'une déesse.
3. **Abusée :** trompée.

Tout à coup les anneaux d'airain de la portière qui fermait la chambre glissèrent sur leur tringle, et un vieillard d'aspect sévère et drapé dans un ample manteau brun parut sur le seuil. Sa barbe grise était séparée en deux pointes comme celle des Nazaréens, son visage semblait sillonné par la fatigue des macérations[1] : une petite croix de bois noir pendait à son col et ne laissait aucun doute sur sa croyance : il appartenait à la secte, toute récente alors, des disciples du Christ.

À son aspect, Arria Marcella, éperdue de confusion, cacha sa figure sous un pli de son manteau, comme un oiseau qui met la tête sous son aile en face d'un ennemi qu'il ne peut éviter, pour s'épargner au moins l'horreur de le voir ; tandis qu'Octavien, appuyé sur son coude, regardait avec fixité le personnage fâcheux[2] qui entrait ainsi brusquement dans son bonheur.

« Arria, Arria, dit le personnage austère d'un ton de reproche, le temps de ta vie n'a-t-il pas suffi à tes déportements, et faut-il que tes infâmes amours empiètent sur les siècles qui ne t'appartiennent pas ? Ne peux-tu laisser les vivants dans leur sphère, ta cendre n'est donc pas encore refroidie depuis le jour où tu mourus sans repentir sous la pluie de feu du volcan ? Deux mille ans de mort ne t'ont donc pas calmée, et tes bras voraces attirent sur ta poitrine de marbre, vide de cœur, les pauvres insensés enivrés par tes philtres.

– Arrius, grâce, mon père, ne m'accablez pas, au nom de cette religion morose qui ne fut jamais la mienne ; moi, je crois à nos anciens dieux qui aimaient la vie, la jeunesse, la beauté, le plaisir ; ne me replongez pas dans le pâle néant. Laissez-moi jouir de cette existence que l'amour m'a rendue.

– Tais-toi, impie, ne me parle pas de tes dieux qui sont des démons. Laisse aller cet homme enchaîné par tes impures séductions ; ne l'attire plus hors du cercle de sa vie que Dieu a mesurée ; retourne dans les limbes du paganisme avec tes amants asiatiques, romains ou grecs. Jeune chrétien, abandonne cette larve[3] qui te semblerait plus hideuse qu'Empouse et Phorkyas[4], si tu la pouvais voir telle qu'elle est. »

---

1. **Macérations :** mortifications que quelqu'un s'inflige pour faire pénitence.
2. **Fâcheux :** importun, qui dérange (vieilli).
3. **Larve :** esprit des morts qui poursuit les vivants.
4. **Empouse et Phorkyas :** figures équivalentes aux vampires dans la mythologie grecque. Empouse est une harpie ou une sorte de loup-garou femelle ; Phorkyas est l'une des Gorgones, créatures fantastiques malfaisantes avec des ailes et de grandes dents.

Octavien, pâle, glacé d'horreur, voulut parler ; mais sa voix resta attachée à son gosier, selon l'expression virgilienne.

945 « M'obéiras-tu, Arria ? s'écria impérieusement le grand vieillard.
– Non, jamais », répondit Arria, les yeux étincelants, les narines dilatées, les lèvres frémissantes, en entourant le corps d'Octavien de ses beaux bras de statue, froids, durs et rigides comme le marbre. Sa beauté furieuse, exaspérée par la lutte, rayonnait avec un 950 éclat surnaturel à ce moment suprême, comme pour laisser à son jeune amant un inéluctable souvenir.

« Allons, malheureuse, reprit le vieillard, il faut employer les grands moyens, et rendre ton néant palpable et visible à cet enfant fasciné », et il prononça d'une voix pleine de commandement une 955 formule d'exorcisme qui fit tomber des joues d'Arria les teintes pourprées que le vin noir du vase myrrhin y avait fait monter.

En ce moment, la cloche lointaine d'un des villages qui bordent la mer ou des hameaux perdus dans les plis de la montagne fit entendre les premières volées de la Salutation angélique[1].

960 À ce son, un soupir d'agonie sortit de la poitrine brisée de la jeune femme. Octavien sentit se desserrer les bras qui l'entouraient ; les draperies qui la couvraient se replièrent sur elles-mêmes, comme si les contours qui les soutenaient se fussent affaissés, et le malheureux promeneur nocturne ne vit plus à côté de lui, 965 sur le lit du festin, qu'une pincée de cendres mêlée de quelques ossements calcinés parmi lesquels brillaient des bracelets et des bijoux d'or, et que des restes informes, tels qu'on les dut découvrir en déblayant la maison d'Arrius Diomèdes.

Il poussa un cri terrible et perdit connaissance.

970 Le vieillard avait disparu. Le soleil se levait, et la salle ornée tout à l'heure avec tant d'éclat n'était plus qu'une ruine démantelée.

Après avoir dormi d'un sommeil appesanti par les libations de la veille, Max et Fabio se réveillèrent en sursaut, et leur premier soin fut d'appeler leur compagnon, dont la chambre était voisine de la 975 leur, par un de ces cris de ralliement burlesques dont on convient quelquefois en voyage ; Octavien ne répondit pas, pour de bonnes

---

1. **La Salutation angélique :** l'une des premières prières de la journée, dans la religion chrétienne.

raisons. Fabio et Max, ne recevant pas de réponse, entrèrent dans la chambre de leur ami, et virent que le lit n'avait pas été défait.

« Il se sera endormi sur quelque chaise, dit Fabio, sans pouvoir gagner sa couchette ; car il n'a pas la tête forte, ce cher Octavien ; et il sera sorti de bonne heure pour dissiper les fumées du vin à la fraîcheur matinale.

– Pourtant il n'avait guère bu, ajouta Max par manière de réflexion. Tout ceci me semble assez étrange. Allons à sa recherche. »

Les deux amis, aidés du cicérone, parcoururent toutes les rues, carrefours, places et ruelles de Pompéi, entrèrent dans toutes les maisons curieuses où ils supposèrent qu'Octavien pouvait être occupé à copier une peinture ou à relever une inscription, et finirent par le trouver évanoui sur la mosaïque disjointe d'une petite chambre à demi écroulée. Ils eurent beaucoup de peine à le faire revenir à lui, et quand il eut repris connaissance, il ne donna pas d'autre explication, sinon qu'il avait eu la fantaisie de voir Pompéi au clair de la lune, et qu'il avait été pris d'une syncope qui, sans doute, n'aurait pas de suite.

La petite bande retourna à Naples par le chemin de fer, comme elle était venue, et le soir, dans leur loge, à San Carlo[1], Max et Fabio regardaient à grand renfort de jumelles sautiller dans un ballet, sur les traces d'Amalia Ferraris[2], la danseuse alors en vogue, un essaim de nymphes culottées, sous leurs jupes de gaze, d'un affreux caleçon vert monstre qui les faisait ressembler à des grenouilles piquées de la tarentule[3]. Octavien, pâle, les yeux troubles, le maintien accablé, ne paraissait pas se douter de ce qui se passait sur la scène, tant, après les merveilleuses aventures de la nuit, il avait peine à reprendre le sentiment de la vie réelle.

À dater de cette visite à Pompéi, Octavien fut en proie à une mélancolie morne, que la bonne humeur et les plaisanteries de ses compagnons aggravaient plutôt qu'ils ne la soulageaient ; l'image

1. **San Carlo :** Opéra de Naples.
2. **Amalia Ferraris :** célèbre danseuse italienne (1830-1904).
3. **Piquées de la tarentule :** piquées par une araignée mythique de la province de Tarente ; le seul remède consistait à danser de façon frénétique et très rapide, pour dissiper les effets du venin. De là, les célèbres « tarentelles » du sud de l'Italie.

d'Arria Marcella le poursuivait toujours, et le triste dénouement de sa bonne fortune fantastique n'en détruisait pas le charme.

1010 N'y pouvant plus tenir, il retourna secrètement à Pompéi et se promena, comme la première fois, dans les ruines, au clair de lune, le cœur palpitant d'un espoir insensé, mais l'hallucination ne se renouvela pas ; il ne vit que des lézards fuyant sur les pierres ; il n'entendit que des piaulements d'oiseaux de nuit effrayés ; il ne 1015 rencontra plus son ami Rufus Holconius ; Tyché ne vint pas lui mettre sa main fluette sur le bras ; Arria Marcella resta obstinément dans la poussière.

En désespoir de cause, Octavien s'est marié dernièrement à une jeune et charmante Anglaise, qui est folle de lui. Il est parfait pour 1020 sa femme ; cependant Ellen, avec cet instinct du cœur que rien ne trompe, sent que son mari est amoureux d'une autre ; mais de qui ? C'est ce que l'espionnage le plus actif n'a pu lui apprendre. Octavien n'entretient pas de danseuse ; dans le monde, il n'adresse aux femmes que des galanteries banales ; il a même répondu très 1025 froidement aux avances marquées d'une princesse russe, célèbre par sa beauté et sa coquetterie. Un tiroir secret, ouvert pendant l'absence de son mari, n'a fourni aucune preuve d'infidélité aux soupçons d'Ellen. Mais comment pourrait-elle s'aviser d'être jalouse de Marcella, fille d'Arrius Diomèdes, affranchi[1] de Tibère ?

1030 Première publication dans la *Revue de Paris*, mars 1852.

1. **Affranchi :** esclave que son maître a libéré.

Clefs d'analyse

Arria Marcella (l. 418-1029)

Action et personnages

1. Dans quel lieu se déroule la rencontre fantastique ? En quoi cela est-il symbolique ?
2. Comment Octavien peut-il être sûr que la femme qu'il rencontre au théâtre est Arria Marcella ?
3. Quel personnage pompéien établit un lien discret entre la scène de l'auberge et l'expérience fantastique ? En quoi établit-il une sorte de complicité entre l'art et le mystère ?
4. Quelle religion nouvelle Arrius, le père de l'héroïne, respecte-t-il ?
5. Où se termine l'action de la nouvelle ? En quoi ce récit est-il circulaire ?
6. Comment Octavien réagit-il à la fin du récit ? Pourquoi ?

Langue

7. Observez les marques de l'incertitude au début de la seconde visite à Pompéi. Que signifient-elles ?
8. Observez les multiples jeux de regards dans l'épisode du théâtre. Que préparent-ils ?
9. À quel champ lexical appartiennent ici les métaphores des lignes 727 à 729 ? Qu'est-ce que cela symbolise ?
10. Comment qualifieriez-vous la description des lignes 730 à 741 ? Relevez les principales figures de style qui l'émaillent.
11. « Une chimère rétrospective » (l. 757). Qu'est-ce que cela signifie ?
12. Que signifie le mot « charme » (l. 1009) ?
13. Ligne 1018 : en quoi y a-t-il ici une rupture temporelle ? Quel est son effet ?

Genre ou thèmes

14. Comment la chair de Marcella est-elle décrite à plusieurs reprises ? De quelle autre réalité cela la rapproche-t-elle ?

En quoi cela s'inscrit-il dans une thématique importante pour tout le recueil ?

15. Identifiez un moment d'usage du style indirect libre dans les lignes 742 à 757 ; comment se signale-t-il dans la syntaxe ? En quoi participe-t-il de l'effet propre au genre fantastique ?

Écriture

16. « En effet, rien ne meurt, tout existe toujours ; nulle force ne peut anéantir ce qui ne fut qu'une fois », écrit Gautier. Justifiez cette affirmation paradoxale en un paragraphe.

17. En prenant modèle sur l'avant-dernier paragraphe de la nouvelle, décrivez à la première personne un voyage raté ; exprimez à la fois les attentes que vous pouviez avoir et les raisons de votre déception.

Pour aller plus loin

18. Quels autres grands héros ou grands écrivains romantiques ont voulu ressusciter le monde gréco-latin comme Gautier ?

19. Savez-vous comment la mythologie ancienne raconte l'invention de la peinture ? Faites une recherche sur ce thème. En quoi cela se rapproche-t-il du sens de la nouvelle de Gautier ?

* *À retenir*

Gautier écrit à un moment de véritable engouement pour l'archéologie ; sa nouvelle, comme les ruines ou les musées que l'on visite, ressuscite au quotidien l'histoire de destinées disparues mais rendues à la vie par le travail des savants sur les cultures anciennes ; le présent s'y superpose au passé, l'éphémère à l'éternel, et le lecteur comme le héros peut admettre l'impensable.

L'action

1. L'action de « La cafetière » se situe :

☐ a. Dans une demeure en Normandie.
☐ b. Dans les ruines d'une ville italienne.
☐ c. Dans le quartier est de Paris.

2. L'aventure vécue puis racontée par Théodore s'est déroulée :

☐ a. La veille au soir.
☐ b. Un an auparavant.
☐ c. Dans un passé éloigné.

3. Qu'est-ce qui s'anime dans « Omphale » :

☐ a. Une statue de marbre ancienne.
☐ b. Un tableau de l'époque de la Régence.
☐ c. Une tapisserie de Beauvais.

4. Le héros de « La Morte amoureuse » est conduit :

☐ a. Dans un palais ignoré du reste des hommes.
☐ b. Sous terre dans un tombeau.
☐ c. Dans une forêt enchantée.

5. Pourquoi Oluf a-t-il un caractère double ?

☐ a. Un sort lui a été jeté par son père, le comte Lodbrog, à sa naissance.
☐ b. Sa mère s'est éprise d'un étrange musicien.
☐ c. Il s'est voué de lui-même à une double étoile.

6. L'idylle d'Octavien et d'Arria est interrompue par :

☐ a. Le retour du jour sur la ville de Pompéi.
☐ b. La punition d'un père autoritaire.
☐ c. L'intervention des compagnons d'Octavien.

7. Un personnage aperçu rapidement fait le lien entre la Pompéi ancienne et la Pompéi moderne ; il s'agit :

☐ a. D'un jeune joueur de flûte.
☐ b. D'un acteur vêtu à l'antique.
☐ c. De la suivante d'une matrone romaine.

Les personnages

Associer chacune de ces présentations à un ou plusieurs personnages du recueil :

1. … sont les deux amis de Théodore et l'accompagnent dans un court voyage en campagne.
2. … a autrefois été une noble marquise dont les autres se rappellent le goût pour les plaisirs.
3. … sont trois amis peintres.
4. … est un chrétien qui accuse sa fille de paganisme et de débauche.
5. … est un prêtre sexagénaire qui a mené double vie pendant plusieurs années.
6. … est une jeune fille inquiète qui attend un chevalier double.

L'histoire de Pompéi

Compléter la description avec les mots ou les expressions proposés suivants :

Naples - Pline l'Ancien - romaines - Herculanum - Jupiter - fouilles archéologiques - Lares - Vésuve - 24 août 79 - osques - Tacite - forum - Campanie.

La ville de Pompéi a été fondée avant le VIe siècle av. J.-C. au pied du ...., dans la baie de ...., dans la région de ...., regroupant plusieurs villages .... En 62 apr. J.-C., elle a subi un tremblement de terre qui a détruit une partie de la cité.

Le ...., l'éruption du Vésuve entraîne la destruction de la ville, son ensevelissement sous les cendres, et la mort de tous ses habitants. L'écrivain Pline le Jeune, qui se trouvait avec son oncle .... dans les environs de Pompéi, a décrit l'éruption dans deux lettres à l'historien .... La veille, des laves de boue sont tombées sur la ville voisine, ... En 1599, les sites de Pompéi et d'Herculanum ont été découverts par un architecte du nom de Fontana, lors de travaux de construction d'un canal. Les .... ont commencé en 1748 ; au long des siècles, elles ont permis de mettre au jour un ensemble considérable de vestiges et de reconstituer avec précision l'organisation de la ville. Au centre de Pompéi, comme de toutes les villes ...., se trouve par exemple le ...., cœur politique, économique et religieux de la ville où s'élevaient les principaux temples, comme celui de ...., père de tous les dieux, d'Apollon et des ...., ces dieux domestiques et protecteurs des foyers.

Le vocabulaire Régence de Gautier

Associer chaque mot à son expression synonyme contemporaine :

1. rocaille	a. rideaux
2. litière	b. murs
3. albâtre	c. fauteuil profond
4. cothurnes	d. chaussures à l'antique
5. courtines	e. style de décoration
6. trumeau	f. terre de couleur rouge
7. rubrique	g. ornement fait de filaments de métal entrelacés
8. bergère	h. pommade
9. muraille	i. ruban
10. panache	j. pierre blanche translucide
11. onguent	k. bouquet de plumes
12. faveur	l. lit ambulant, civière
13. affiquets	m. voûtes de verdures
14. filigrane	n. panneau ornemental
15. charmille	o. parures

Héros fantastiques, héros prosaïques

Quels personnages appartiennent à la réalité quotidienne ?
Quels personnages viennent d'un autre monde ?

	Réalité quotidienne	Autre monde
1. Angéla		
2. Arria Marcella		
3. Brenda		
4. Clarimonde		
5. Fabio		
6. L'abbé Sérapion		
7. La marquise de T***		
8. Le chevalier de ***		
9. Max		
10. Pedrino Borgnioli		
11. Romuald		
12. Rufus Holconius		
13. Théodore		
14. Tyché Novoleja		

Qui a dit ?

Attribuez ces répliques au personnage qui les a prononcées :

1. « Oh ! Non, je n'ose pas dire ce qui arriva, personne ne me croirait et on me pendrait pour un fou ».

2. « À cette vue, persuadé que j'avais été le jouet de quelque illusion diabolique, une telle frayeur s'empara de moi, que je m'évanouis ».

3. « Je fus plusieurs jours sans oser jeter les yeux sur la maudite tapisserie ».

4. « [...] au moins tu conviendras que je ne suis pas trop noire pour un diable, et que, si l'enfer était peuplé de diables faits comme moi, on y passerait son temps aussi agréablement qu'en paradis ».

5. « J'ai été pendant plus de trois ans le jouet d'une illusion singulière et diabolique ».

6. « Vous, si pieux, si calme et si doux, vous vous agitez dans votre cellule comme une bête fauve. Prenez garde, mon frère, et n'écoutez pas les suggestions du diable ».

7. « Je t'ai attendu si longtemps, que je suis morte ; mais maintenant nous sommes fiancés, je pourrai te voir et aller chez toi ».

8. « Il est soumis à un double ascendant ; il sera très heureux ou très malheureux, je ne sais lequel ; peut-être tous les deux à la fois ».

9. « En effet, rien ne meurt, tout existe toujours ; nulle force ne peut anéantir ce qui fut une fois ».

10. « On n'est véritablement morte que quand on n'est plus aimée ; ton désir m'a rendu la vie, la puissante évocation de ton cœur a supprimé les distances qui nous séparaient ».

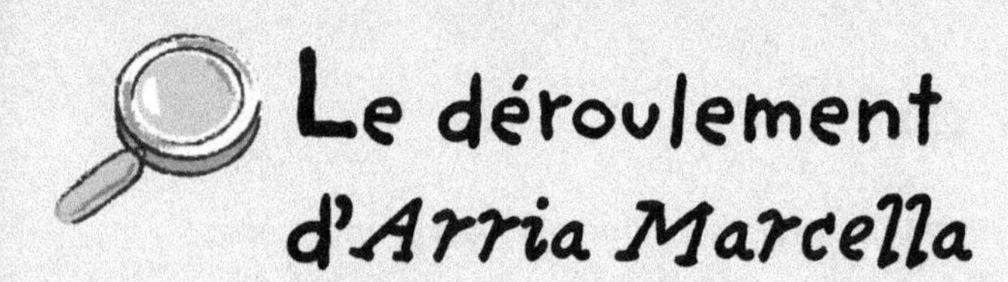

Le déroulement d'*Arria Marcella*

Classer les événements suivants dans l'ordre chronologique :

1. Chacun des trois amis expose sa philosophie de l'amour.

2. Le petit groupe prend le chemin de l'hôtellerie.

3. Le petit groupe se rend au théâtre de San Carlo.

4. Le vieillard prononce une formule d'exorcisme qui réduit Arria en cendres.

5. Les trois amis descendent à la station de Pompéi.

6. Les trois amis montent dans un corricolo.

7. Max et Fabio se retirent dans leur chambre.

8. Octavien et Rufus Holconius se rendent au théâtre.

9. Octavien perd connaissance.

10. Octavien reconnaît un visage dans la travée des femmes.

11. Octavien s'arrête devant un morceau de cendre calcinée.

12. Octavien sort de l'auberge pendant la nuit.

13. Trois amis visitent le musée des Studj à Naples.

14. Un bouvier aperçoit Octavien et poursuit sa route.

15. Un homme vêtu à l'antique sort d'une maison pompéienne.

16. Un jeune garçon jouant de la flûte s'approche de la table de l'auberge.

17. Un jeune Pompéien s'adresse à Octavien en latin.

18. Un vieillard d'aspect sévère paraît sur le seuil de la chambre.

Portrait de Théophile Gautier.
Gravure de Rajon, 1864.

En savoir plus sur : **www.petitsclassiqueslarousse.com**

POUR

APPROFONDIR

Thèmes et prolongements

✣ Pourquoi des récits brefs ?

Les contes fantastiques de Gautier sont de véritables petits bijoux qui usent de tous les ressorts du genre : brièveté, variété, éclat stylistique, phénomènes de rupture, force des effets émotionnels.

De la nouvelle au conte fantastique

Une nouvelle est un court récit de fiction en prose ; les personnages y sont dotés d'une réalité psychologique, et l'action a lieu dans un décor vraisemblable ; contrairement au roman, qui tresse plusieurs intrigues et présente une multiplicité de personnages, la nouvelle est centrée autour d'un seul événement. Cette brièveté et cette concentration ont une conséquence importante : la nouvelle s'identifie surtout à l'effet qu'elle produit.

La nouvelle est née à la fin du Moyen Âge avec l'écrivain italien Boccace, du croisement d'un ensemble de formes existant déjà, associées par un même ancrage dans la réalité, voire dans le pittoresque ou dans le familier (l'anecdote, l'exemple, le cas judiciaire...).

Le conte, lui, est à l'origine un récit populaire, transmis oralement, hérité de la tradition, associé à une culture et à une communauté précises, puisant à un répertoire connu, et remplissant une fonction anthropologique importante : il fixe les symboles, reflète les lois et les interdits d'un peuple.

Le XIXe siècle est l'âge d'or de la narration ; les deux directions de la nouvelle et du conte y sont à la fois distinguées et corrélées, et les récits brefs se distribuent en deux directions principales : réaliste et fantastique. Il importe cependant de ne pas les séparer hermétiquement : Maupassant, par exemple, pratique les deux genres ; et chez Gautier, le surgissement d'un événement fantastique tire tout son effet d'une description minutieuse et d'un ancrage jamais démenti des faits dans la réalité.

Modes de publication

Contes et nouvelles sont toujours publiés une première fois en revues et de façon isolée, c'est ce qui justifie leur brièveté, mais

aussi le fait qu'ils aient un public large et doivent produire un effet frappant et immédiat ; les récits de Gautier ont paru dans des périodiques littéraires comme *Le Cabinet de lecture*, *Le Journal des gens du monde* ou *La Revue pittoresque*.
La mise en recueil qui a lieu dans un second temps témoigne de l'unité d'inspiration de Gautier, contrairement à un Flaubert, par exemple, dont chaque œuvre nouvelle rompait avec la précédente. On retrouve d'un récit à l'autre des thèmes, des personnages ou des formes semblables : l'animation d'un objet, une morte amoureuse, un jeune homme naïf, le prosaïsme du réel, un regard ironique posé sur nos aspirations à l'idéal... L'auteur a parfois apporté des modifications lors de la seconde publication, mais elles n'affaiblissent pas ces effets d'écho.

La forme et les effets du récit bref

La nouvelle ou le conte suivent un schéma-type que l'on a décrit souvent ainsi : une mise en place de la situation (description du décor, caractérisation des personnages) ; le surgissement d'un événement perturbateur qui modifie brutalement cette situation ; un dénouement qui établit une situation nouvelle. Dans la nouvelle fantastique, ce dénouement est plus qu'un retour à l'ordre initial, car l'ordre auquel on revient est désormais entaché par l'expérience fantastique, qui laisse souvent des traces (objet, vestige, ou simplement souvenir ineffaçable).
Comme on voit, ce schéma fait culminer le récit sur le phénomène de perturbation, qui est central et autour duquel il s'organise entièrement : simple instant, moment durable (la nuit chez Gautier), ou vie entière, ce phénomène aboutit le plus souvent au dérèglement de l'ordre du temps.
Mais Gautier accorde une importance particulière à la préparation du moment où la réalité se déchirera et fera place à l'événement clé. Ses nouvelles présentent presque toujours un prélude réaliste qui accueille le lecteur en terrain familier, et rendra d'autant plus fort l'effet de la rupture fantastique.

✣ Le fantastique et le merveilleux

Le fantastique et le merveilleux correspondent à deux registres de l'imaginaire et à deux significations du surnaturel. Les contes de Gautier s'inscrivent dans le genre fantastique hérité d'Hoffmann ; mais leur intérêt est de réduire la distance qui sépare ces deux registres.

La poésie du merveilleux

L'univers du merveilleux est homogène ; la réalité y est une et une seule ; l'enchantement et le surnaturel y vont de soi : il est admis que les ogres existent et que les chats parlent. Le merveilleux console ; il « récompense les croyances, nous sauve de la mort et de la condition humaine » (M. Crouzet). C'est un monde d'enfance, sans agression contre nos espoirs, et le dénouement y est toujours heureux. « Le Chevalier double » s'ouvre sur un univers enchanteur, mais il bascule ensuite dans une étrangeté toute différente.

L'hésitation du fantastique

À la poésie de la féerie s'oppose en effet le déchirement du fantastique, lié à une mentalité rationnelle. Le fantastique repose sur l'étonnement et la rupture ; il vit de nos peurs, de nos incertitudes, tout y concourt à maintenir un climat d'épouvante. Dans l'univers fantastique, la réalité est double ; l'action a lieu dans un monde apparemment solide, qui subit l'irruption d'un phénomène hétérogène et inexpliqué, un événement que ne justifie aucune loi de notre réalité, dont il menace la stabilité. Le fantastique ne se confond donc pas avec le simple dépaysement ; il est lié « aux états morbides de la conscience qui, dans les phénomènes de cauchemar ou de délire, projette devant elle des images de ses angoisses ou de ses terreurs » (P.-G. Castex). C'est pourquoi il renvoie souvent à l'obscurité de l'intériorité du héros, à ses désirs, à ses peurs, ou à ses fantasmes. Le fantastique déstabilise : il crée l'épouvante, fait perdre au personnage et au lecteur leurs repères, et repose sur une hésitation prolongée : « Celui qui perçoit l'événement doit opter pour l'une des deux solutions possibles : ou bien il s'agit d'une illusion des sens, d'un produit de l'imagination et les lois du monde restent ce qu'elles sont ; ou bien l'événement a véritablement eu lieu [...], mais alors cette réalité est régie par des lois inconnues de nous [...] Le fantastique occupe le temps de cette incertitude » (T. Todorov).

Le fantastique enchanté de Gautier

Les contes de Gautier sont bien organisés autour d'un événement perturbateur, mais ils ont cette originalité de ne pas véritablement créer l'épouvante ; certes, ils représentent un personnage atteint par la peur, mais ils produisent aussi pour le lecteur et le héros un espace d'enchantement protégé. De plus, ils ne nous mettent pas dans une situation d'incertitude : comme dans un conte de fées, les réalités y coexistent. La variété interne du recueil accentue ce mélange : le fantastique ironique de « La Cafetière », la rêverie érudite d'« Arria Marcella »... autant de façons d'élargir le spectre des émotions.

Un « fantastique goguenard »

Le fantastique de Gautier repose sur une connaissance du genre et sur des effets de citation. Gautier a écrit des articles sur Hoffmann dès 1830, il lui emprunte des noms propres (Sérapion par exemple), des thèmes et des structures ; contre le dogme romantique de l'inspiration, ses inventions ne viennent pas seulement du cœur mais acceptent l'artifice de la création, et poussent cet artifice jusqu'à la virtuosité dans des effets d'échos et de variations sur un même thème. Gautier est « l'inventeur du second degré ». Son fantastique est parodique et accentue les stéréotypes du genre – ses démons ou ses amoureux ont tout du cliché. Pourtant, comme l'écrit P. Tortonese, cette parodie n'est pas destructrice : à la fois « hommage et [...] pied de nez à la tradition ; elle ne condamne pas, contrairement à la satire ; et elle a quelque chose d'archéologique, faisant miroiter les beaux débris du passé ». L'ironie ne se développe pas aux dépens des personnages (le héros de « La cafetière » éclate de rire dans la scène fantastique, et Omphale déclare « Je ne suis pas trop noire pour un diable »), mais en vue d'établir une complicité avec le lecteur.

✣ La réalité et l'idéal

Les nouvelles de Gautier témoignent d'une attention à la réalité qui n'est pas seulement la négation du mystère ou sa préparation prosaïque. La curiosité réelle de l'écrivain pour le monde, qui l'a fait tant voyager, se traduit ici par une contemplation fascinée de la surface miroitante des choses, et c'est cette contemplation qui nourrit l'aspiration à l'idéal.

Objets et description

La description minutieuse des choses, de la brillance de leur apparence, n'est pas secondaire dans ces récits ; elle l'emporte même parfois sur la narration. Les objets et les paysages ne s'y subordonnent pas à un symbolisme convenu, ils existent pour eux-mêmes et se présentent avec une vivacité et une précision matérielle toutes particulières. Soulignons l'importance de la vue, qui aboutit à ce que P. Tortonese a appelé une « perception esthétique du monde, qui fait de l'homme un spectateur », et élargit les formes de l'expérience artistique à toute la vie.

Particulièrement luxuriantes, ces descriptions se nourrissent d'une attention permanente aux qualités sensibles des choses, à la matérialité de la chair ou de la peau, aux nuances de couleurs (omniprésentes dans « Le chevalier double »), à la température des corps (la froideur des mortes amoureuses, la chaleur du désir), aux qualités de la lumière...

La virtuosité du style descriptif justifie le choix que fait Gautier d'un lexique maniériste, de mots rares ou exotiques, mais aussi sa préférence pour des périodes historiques synonymes d'artifice extrême, d'ornement, voire de dégradation : la Régence, la Rome décadente.

Souvenir et savoirs

Pour créer ce « pittoresque » si propre à l'esthétique du XIXe siècle, Gautier se sert autant de ses souvenirs de voyages (pour « Arria Marcella ») que des connaissances constituées par ses nombreuses lectures des savants de son temps (historiens et archéologues en particulier) ; en faisant commencer l'histoire d'Octavien au musée archéologique de Naples, il montre d'ailleurs combien le savoir peut être un réservoir pour l'imaginaire et le développement de l'aventure.

L'infini dans le fini

Si la description et le savoir sont si importants, c'est parce que c'est en eux que se logent le mystère et l'idéal. Gautier est « antiromantique par son goût pour l'incarnation et la valorisation du matériel, mais romantique par un idéal d'absolu », explique P. Tortonese. C'est la nostalgie pour un amour idéal, le désir de retrouver un Paradis perdu qui explique la fascination pour le passé et pour l'au-delà, et justifie la négation du Progrès. Toute expérience fantastique a ici quelque chose de la « réminiscence », comme si quelque chose survivait toujours de ce qui a disparu, et restait éternellement accessible au regard de l'amoureux par le rêve ou par la contemplation.
Cette soif d'absolu fait de l'expérience fantastique, pour le héros et pour le lecteur, l'occasion d'une consolation momentanée. Baudelaire l'a affirmé : Gautier « a continué d'un côté la grande école de la mélancolie, créée par Chateaubriand. [...] D'un autre côté, il a introduit dans la poésie un élément nouveau, que j'appellerai la consolation par les arts ». De quoi Gautier nous console-t-il donc ? Sans doute de la tristesse de ne pas pouvoir être quelqu'un d'autre, de n'être que celui que l'on est, de n'avoir qu'une vie et qu'un monde où la déployer ; c'est pour la même raison que Gautier voyageait, pour trouver l'infini dans le fini : « Je voyage pour me déplacer, sortir de moi-même et des autres, je voyage pour réaliser un rêve tout bêtement, pour changer de peau. »

Textes et images

✣ Rêves de pierre

Les œuvres d'art nous offrent des images de beauté idéale, éternelle, et parfaite, et nous espérons souvent accorder la réalité à ces images ; mais peut-être notre désir de perfection est-il dangereux…

Documents :

❶ Ovide, *Métamorphoses*, « Pygmalion », an 1.
❷ Mérimée, « La Vénus d'Ille », 1837.
❸ Baudelaire, *Les Fleurs du mal*, « La Beauté », 1857.
❹ Ingres, *Vénus Anadyomène*, 1848.
❺ Man Ray, *Le Violon d'Ingres, 1925.*
❻ Fritz Lang, *Metropolis, 1927.*

❶ *[Le sculpteur Pygmalion fait une statue si belle qu'il en tombe amoureux…]*

Pygmalion vivait libre, sans épouse, et longtemps sa couche demeura solitaire. Cependant son heureux ciseau, guidé par un art merveilleux, donne à l'ivoire éblouissant une forme que jamais femme ne reçut de la nature, et l'artiste s'éprend de son œuvre. Ce sont les traits d'une vierge, d'une mortelle ; elle respire, et, sans la pudeur qui la retient, on la verrait se mouvoir ; tant l'art disparaît sous ses prestiges mêmes. Ébloui, le cœur brûlant d'amour, Pygmalion s'enivre d'une flamme chimérique. Plus d'une fois il avance la main vers son idole ; il la touche. Est-ce un corps, est-ce un ivoire ? Un ivoire ! non, il ne veut pas en convenir. Il croit lui rendre baisers pour baisers ; tour à tour il lui parle, il l'étreint ; il s'imagine que la chair cède à la pression de ses doigts ; il tremble qu'ils ne laissent leur empreinte sur les membres de la statue. Tantôt il la comble de caresses, tantôt il lui prodigue les dons chers aux jeunes filles, coquillages, pierres brillantes, petits oiseaux, fleurs de mille couleurs, lis, balles nuancées, larmes tombées du tronc des Héliades. Ce n'est pas tout, il la revêt de tissus précieux ; à ses doigts étincellent des diamants ; à son cou, de superbes colliers ; à ses oreilles, de légers anneaux ; sur sa gorge, des chaînes d'or qui pendent : tout lui sied, et nue, elle semble encore plus belle. Il la couche sur des carreaux que teint la pourpre de Sidon ; il l'appelle la compagne de son lit ; il la contemple étendue sur le duvet moelleux : il croit qu'elle y est sensible.

Ovide, *Métamorphoses, X*, trad. L. Puget, T. Guiard, Chevriau et Fouquier (1876), modifiée par Agnès Vinas (2005).

2 C'était bien une Vénus, et d'une merveilleuse beauté. Elle avait le haut du corps nu, comme les Anciens représentaient d'ordinaire les grandes divinités ; la main droite, levée à la hauteur du sein, était tournée, la paume en dedans, le pouce et les deux premiers doigts étendus, les deux autres, légèrement ployés. L'autre main, rapprochée de la hanche, soutenait la draperie qui couvrait la partie inférieure du corps.

[...] Il est impossible de voir quelque chose de plus parfait que le corps de cette Vénus ; rien de plus suave, de plus voluptueux que ses contours ; rien de plus élégant et de plus noble que sa draperie. Je m'attendais à quelque ouvrage du Bas-Empire ; je voyais un chef-d'œuvre du meilleur temps de la statuaire. Ce qui me frappait surtout, c'était l'exquise vérité des formes, en sorte qu'on aurait pu les croire moulées sur nature, si la nature produisait d'aussi parfaits modèles.

La chevelure, relevée sur le front, paraissait avoir été dorée autrefois. La tête, petite comme celle de presque toutes les statues grecques, était légèrement inclinée en avant. Quant à la figure, jamais je ne parviendrai à exprimer son caractère étrange, et dont le type ne se rapprochait de celui d'aucune statue antique dont je me souvienne. Ce n'était point cette beauté calme et sévère des sculpteurs grecs, qui, par système, donnaient à tous les traits une majestueuse immobilité. Ici, au contraire, j'observais avec surprise l'intention marquée

de l'artiste de rendre la malice arrivant jusqu'à la méchanceté. Tous les traits étaient contractés légèrement : les yeux un peu obliques, la bouche relevée des coins, les narines quelque peu gonflées. Dédain, ironie, cruauté, se lisaient sur ce visage d'une incroyable beauté cependant. En vérité, plus on regardait cette admirable statue, et plus on éprouvait le sentiment pénible qu'une si merveilleuse beauté pût s'allier à l'absence de toute sensibilité.
« Si le modèle a jamais existé, dis-je à M. de Peyrehorade, et je doute que le ciel ait jamais produit une telle femme, que je plains ses amants ! Elle a dû se complaire à les faire mourir de désespoir. Il y a dans son expression quelque chose de féroce, et pourtant je n'ai jamais vu rien de si beau.
– C'est Vénus tout entière à sa proie attachée ! » s'écria M. de Peyrehorade, satisfait de mon enthousiasme.
Cette expression d'ironie infernale était augmentée peut-être par le contraste de ses yeux incrustés d'argent et très brillants avec la patine d'un vert noirâtre que le temps avait donnée à toute la statue. Ces yeux brillants produisaient une certaine illusion qui rappelait la réalité, la vie. Je me souvins de ce que m'avait dit mon guide, qu'elle faisait baisser les yeux à ceux qui la regardaient. Cela était presque vrai, et je ne pus me défendre d'un mouvement de colère contre moi-même en me sentant un peu mal à mon aise devant cette figure de bronze.

Prosper Mérimée. *La Vénus d'Ille.*

Je suis belle, ô mortels ! comme un rêve de pierre,
Et mon sein, où chacun s'est meurtri tour à tour,
Est fait pour inspirer au poète un amour
Éternel et muet ainsi que la matière.

Je trône dans l'azur comme un sphinx incompris ;
J'unis un cœur de neige à la blancheur des cygnes ;
Je hais le mouvement qui déplace les lignes,

Et jamais je ne pleure et jamais je ne ris.

Les poètes, devant mes grandes attitudes,
Que j'ai l'air d'emprunter aux plus fiers monuments,
Consumeront leurs jours en d'austères études ;

Car j'ai, pour fasciner ces dociles amants,
De purs miroirs qui font toutes choses plus belles :
Mes yeux, mes larges yeux aux clartés éternelles !

Charles Baudelaire, *Les Fleurs du mal*, « La Beauté ».

5

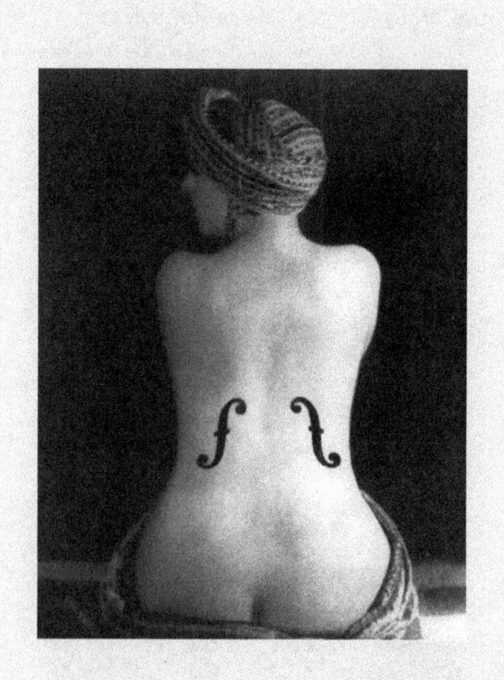

6

✣ Étude des textes

Savoir lire

1. À quel type d'œuvre d'art ces femmes parfaites sont-elles comparées ? À quelle période de l'histoire est-il fait le plus souvent référence ?
2. Relevez les éléments de lexique communs aux trois textes. Quelles qualités définissent ici la beauté ?
3. La description a-t-elle le même degré de précision dans ces trois textes ? À quels effets distincts cela conduit-il ?
4. Dans quels textes les dangers de la perfection sont-ils annoncés ? Relevez ces traits inquiétants.

Savoir faire

5. Quel thème très présent dans les nouvelles de Gautier retrouve-t-on dans ce groupe de textes ?
6. Lisez le poème final du recueil de Gautier intitulé *Émaux et Camées*, et comparez sa vision de la beauté parfaite à celle que donne ici Baudelaire.
7. Cherchez une image pouvant illustrer le sonnet de Baudelaire ; décrivez-la en un paragraphe.

✣ Étude des images

Savoir analyser

1. Qu'est-ce qui rapproche la femme peinte par Ingres des héroïnes des trois textes précédents ? En quoi peut-on dire que sa beauté est « classique » ? Reprenez « Arria Marcella » et justifiez la référence à Ingres (p. 129).
2. À quoi le corps de la femme photographiée est-il comparé dans l'œuvre de Man Ray ? Qu'est-ce que cela peut signifier ?
3. Expliquez le titre de l'œuvre de Man Ray.
4. En quoi la créature mise en scène par Fritz Lang est-elle un exemple de beauté moderne ?

Savoir faire

5. Que signifie « Anadyomène » ? Cherchez d'autres tableaux représentant le même épisode du mythe de Vénus. Comparez-les.

6. Faites une recherche sur ce que l'on a appelé la « statuomanie » au XIXe siècle. Présentez-la sous forme de dossier illustré.
7. Prenez connaissance du film de Fritz Lang, *Metropolis*. Quels éléments de l'histoire se rapprochent du mythe de Pygmalion ? Énumérez ces éléments.

La montre cassée

Dans la vie, le temps coule inexorablement. Mais les écrivains et les artistes nous font voyager librement dans le temps, ils peuvent l'arrêter ou le dominer… C'est alors qu'ils nous font entrer dans un autre univers.

Documents :

1. Charles Perrault, *La Belle au bois dormant*, 1697.
2. Charles Baudelaire, *Le Spleen de Paris*, « L'horloge », 1869.
3. Alain-Fournier, *Le Grand Meaulnes*, 1913.
4. Gustave Doré, « La Belle au bois dormant », 1862.
5. Salvador Dalí, « Persistance de la mémoire », 1931.
6. Charlie Chaplin, *Les Temps modernes*, 1936.

1 Dès qu'elle les eut touchés, ils s'endormirent tous, pour ne se réveiller qu'en même temps que leur Maîtresse, afin d'être tout prêts à la servir quand elle en aurait besoin : les broches mêmes qui étaient au feu toutes pleines de perdrix et de faisans s'endormirent, et le feu aussi. Tout cela se fit en un moment ; les Fées n'étaient pas longues à leur besogne.
Alors le Roi et la Reine, après avoir embrassé leur chère enfant sans qu'elle s'éveillât, sortirent du Château, et firent publier des défenses à qui que ce soit d'en approcher. Ces défenses n'étaient pas nécessaires, car il crût dans un quart d'heure tout autour du parc une si grande quantité de grands arbres et de petits, de ronces et d'épines

entrelacées les unes dans les autres, que bête ni homme n'y aurait pu passer : en sorte qu'on ne voyait plus que le haut des Tours du Château, encore n'était-ce que de bien loin. On ne douta point que la fée n'eût encore fait là un tour de son métier, afin que la princesse, pendant qu'elle dormirait, n'eût rien à craindre des Curieux.

Au bout de cent ans, le Fils du Roi qui régnait alors, et qui était d'une autre famille que la Princesse endormie, étant allé à la chasse de ce côté-là, demanda ce que c'était que ces Tours qu'il voyait au-dessus d'un grand bois fort épais ; chacun lui répondit selon qu'il en avait ouï parler.

Les uns disaient que c'était un vieux Château où il revenait des Esprits ; les autres que tous les Sorciers de la contrée y faisaient leur sabbat. La plus commune opinion était qu'un Ogre y demeurait, et que là il emportait tous les enfants qu'il pouvait attraper, pour pouvoir les manger à son aise, et sans qu'on le pût suivre, ayant seul le pouvoir de se faire un passage au travers du bois.

Le Prince ne savait qu'en croire, lorsqu'un vieux Paysan prit la parole, et lui dit :

« Mon Prince, il y a plus de cinquante ans que j'ai entendu dire de mon père qu'il y avait dans ce Château une Princesse, la plus belle du monde ; qu'elle devait y dormir cent ans, et qu'elle serait réveillée par le fils d'un Roi, à qui elle était réservée. »

Le jeune Prince à ce discours se sentit tout de feu ; il crut sans hésiter qu'il mettrait fin à une si belle aventure ; et poussé par l'amour et par la gloire, il résolut de voir sur-le-champ ce qu'il en était.

Charles Perrault, *La Belle au bois dormant.*

2 Les Chinois voient l'heure dans l'œil des chats.

Un jour un missionnaire, se promenant dans la banlieue de Nankin, s'aperçut qu'il avait oublié sa montre, et demanda à un petit garçon quelle heure il était.

Le gamin du céleste Empire hésita d'abord ; puis, se ravisant, il répondit : « Je vais vous le dire. » Peu d'instants après, il reparut, tenant dans ses bras un fort gros chat, et le regardant, comme on dit, dans le blanc des yeux, il affirma sans hésiter : « Il n'est pas encore tout à fait midi. » Ce qui était vrai.

Pour moi, si je me penche vers la belle Féline, la si bien nommée, qui est à la fois l'honneur de son sexe, l'orgueil de mon cœur et le parfum de mon esprit, que ce soit la nuit, que ce soit le jour, dans la pleine lumière ou dans l'ombre opaque, au fond de ses yeux adorables je vois toujours l'heure distinctement, toujours la même, une heure vaste, solennelle, grande comme l'espace, sans divisions de minutes ni de secondes, – une heure immobile qui n'est pas marquée sur les horloges, et cependant légère comme un soupir, rapide comme un coup d'œil.

Et si quelque importun venait me déranger pendant que mon regard repose sur ce délicieux cadran, si quelque Génie malhonnête et intolérant, quelque Démon du contre-temps venait me dire : « Que regardes-tu avec tant de soin ? Que cherches-tu dans les yeux de cet être ? Y vois-tu l'heure, mortel prodigue et fainéant ? » je répondrais sans hésiter : « Oui, je vois l'heure ; il est l'Éternité ! »

N'est-ce pas, madame, que voici un madrigal vraiment méritoire, et aussi emphatique que vous- même ? En vérité, j'ai eu tant de plaisir à broder cette prétentieuse galanterie, que je ne vous demanderai rien en échange.

Baudelaire, *Le Spleen de Paris*, « L'Horloge ».

3 Dès qu'ils eurent disparu, l'écolier sortit de sa cachette. Il avait les pieds glacés, les articulations raides ; mais il était reposé et son genou paraissait guéri.

« Descendre au dîner, pensa-t-il, je ne manquerai pas de le faire. Je serai simplement un invité dont tout le monde a oublié le nom. D'ailleurs, je ne suis pas un intrus ici. Il est hors de doute que M. Maloyau et son compagnon m'attendaient... »

Au sortir de l'obscurité totale de l'alcôve, il put y voir assez distinctement dans la chambre éclairée par les lanternes vertes.

Le bohémien l'avait « garnie ». Des manteaux étaient accrochés aux patères. Sur une lourde table à toilette, au marbre brisé, on avait disposé de quoi transformer en muscadin tel garçon qui eût passé la nuit précédente dans une bergerie abandonnée. Il y avait, sur la cheminée, des allumettes auprès d'un grand flambeau. Mais on avait omis de cirer le parquet ; et Meaulnes sentit rouler sous ses souliers du sable et des gravats. De nouveau il eut l'impression d'être dans une maison depuis longtemps abandonnée... En allant vers la cheminée, il faillit buter contre une pile de grands cartons et de petites boîtes : il étendit le bras, alluma la bougie, puis souleva les couvercles et se pencha pour regarder.

C'étaient des costumes de jeunes gens d'il y a longtemps, des redingotes à hauts cols de velours, de fins gilets très ouverts, d'interminables cravates blanches et des souliers vernis du début de ce siècle. Il n'osait rien toucher du bout du doigt, mais après s'être nettoyé en frissonnant, il endossa sur sa blouse d'écolier un des grands manteaux dont il releva le collet plissé, remplaça ses souliers ferrés par de fins escarpins vernis et se prépara à descendre nu-tête.

Il arriva, sans rencontrer personne, au bas d'un escalier de bois, dans un recoin de cour obscur. L'haleine glacée de la nuit vint lui souffler au visage et soulever un pan de son manteau.

Il fit quelques pas et, grâce à la vague clarté du ciel, il put se rendre compte aussitôt de la configuration des lieux. Il était dans une petite cour formée par des bâtiments des dépendances. Tout y paraissait vieux et ruiné. Les ouvertures au bas des escaliers étaient béantes, car les portes depuis longtemps avaient été enlevées ; on n'avait pas non plus remplacé les carreaux des fenêtres qui faisaient des trous noirs dans les murs. Et pourtant toutes ces bâtisses avaient un mystérieux air de fête. Une sorte de reflet coloré flottait dans les chambres basses où l'on avait dû allumer aussi, du côté de la campagne, des lanternes. La terre était balayée, on avait arraché l'herbe envahissante. Enfin, en prêtant l'oreille, Meaulnes crut entendre comme un chant, comme des voix d'enfants et de jeunes filles, là-bas, vers les bâtiments confus où le vent secouait des branches devant les ouvertures roses, vertes et bleues des fenêtres.

Alain-Fournier, *Le Grand Meaulnes*, chap. XIII.

4

5

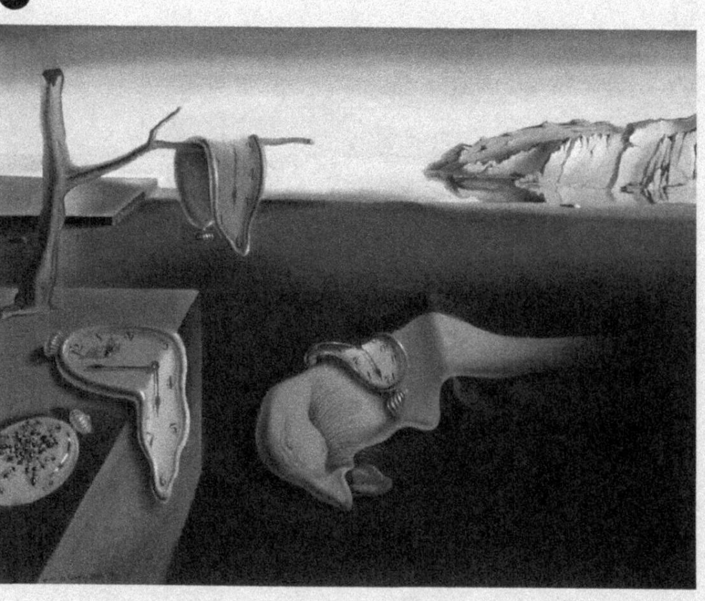

6

Textes et images

✣ Étude des textes

Savoir lire

1. Dans quels textes le temps est-il arrêté ? Par quoi est-il alors remplacé ? Dans quels textes le temps est-il déréglé ?
2. Qui est « la belle Féline » de Baudelaire ? Montrez comment le poète ancre son anecdote dans la réalité courante.
3. Observez dans chaque texte le rapport entre les manipulations du temps et la possibilité d'une aventure.

Savoir faire

4. Écrivez la suite du texte de Perrault, c'est-à-dire le moment où le Prince Charmant découvre la Belle au bois dormant.
5. Racontez à la première personne un épisode réel de votre vie où il vous a semblé que le temps s'arrêtait. Décrivez vos impressions.
6. Lisez le sonnet que Baudelaire a aussi intitulé « L'Horloge » dans *Les Fleurs du mal* ; quelle relation peut-on faire entre ces deux textes homonymes ?

✣ Étude des images

Savoir analyser

1. Il est difficile de « montrer » le temps ; comparez les moyens directs ou indirects à travers lesquels ces images parviennent à le représenter (objets, gestes, phénomènes naturels).
2. Quel épisode du conte de Perrault la gravure de Gustave Doré illustre-t-elle ? Comment le dérèglement du temps est-il signifié ?
3. En quoi les horloges sont-elles transformées dans le tableau de Dalí ? Qu'est-ce que cela symbolise ?
4. Qu'est-ce qui rappelle les formes d'une horloge dans l'image des *Temps modernes* ? Dans quelle activité Charlot est-il représenté ? Quelle vision du temps dans la société moderne cela donne-t-il ?

Savoir faire

5. Pensez à d'autres cas de « montres cassées » (temps arrêté, temps déréglé, temps vaincu…), dans la peinture ou au cinéma. Exposez-en un à l'oral, en montrant quelle vision du temps il incarne.
6. Votre collège organise une projection des *Temps modernes* de Charlie Chaplin ; réalisez-en l'affiche.

Vers le brevet

Sujet 1 : Théophile Gautier, « Arria Marcella », l. 1-25.

Questions

I - Un incipit

1. Énumérez les informations principales données par ce début de récit, classez-les suivant les fonctions normalement remplies par un incipit.
2. L. 8 : « une rencontre curieuse ». Proposez un synonyme à l'adjectif « curieuse ».
3. Relevez les mots appartenant au champ lexical de la trace, de la ruine ou du vestige.
4. L. 13-18 : « Ce qu'il examinait… une statue grecque ».
   a) Que savons-nous que le personnage ignore encore ?
   b) En quoi cela fait-il de cet incipit une sorte d'énigme ?

II - Un regard

1. L. 1 à 13 : « Trois jeunes gens… une contemplation profonde ».
   a) Observez les verbes de mouvement et les indicateurs spatiaux. Comment l'espace se transforme-t-il ?
   b) Par quels moyens le narrateur focalise-t-il progressivement l'attention sur le personnage d'Octavien ?
   c) Quelle est la nature grammaticale de « Mais » (l. 12) ? Quel lien logique exprime-t-il ?
2. L. 13 à 18 : « Ce qu'il examinait… une statue grecque ».
   a) À travers quels regards successifs la description du fragment de moule de statue est-elle faite ? Appuyez votre réponse sur une observation des pronoms personnels, des temps et des modes.

b) Relevez les déictiques. Pourquoi sont-ils importants dans une description ?

III - Un savoir partagé

1. De quel genre de connaissance ce texte est-il nourri ?
2. L 13 à 20 : « Ce qu'il examinait... le contour charmant ».
   a) À quel moment les connaissances générales du narrateur remplacent-elles la description ?
   b) Quelles sont les marques syntaxiques qui signalent cette rupture ? (Étudiez en particulier l'énonciation, les temps et les personnes.)
3. L. 22 : « jusqu'à nous » :
   a) Commentez l'usage de ce pronom personnel.
   b) Dans quelle situation le lecteur est-il placé ?

Réécriture

1. Remplacez les deux occurrences du mot « caprice » (l. 7, l. 20) par deux substantifs différents.
2. L.1 à l. 10 : récrivez ce passage au futur, en faisant toutes les transformations nécessaires.

Rédaction

Faites parler le jeune homme absorbé dans sa contemplation ; vous lui ferez décrire ce qu'il voit, et formuler ses impressions, ses questionnements, sa curiosité.

Petite méthode pour la rédaction

L'incipit est le **début** d'un récit ; il peut occuper quelques phrases, ou plusieurs pages. On le définit essentiellement par ses **fonctions**, par la manière dont il remplit les attentes ou dont il les déplace. Quelles **informations** donne-t-il ? Souvent descriptif, il met en place les lieux, les protagonistes, la temporalité et la situation initiale du récit. Comment attise-t-il notre **intérêt** ? S'il est énigmatique, ou s'il commence *in medias res* – au milieu de l'action –, il nous pousse à poursuivre la lecture. Quel **contrat**, en particulier en ce qui concerne le genre, noue-t-il avec le lecteur ?

Sujet 2 : Prosper Mérimée, *La Vénus d'Ille.*

Questions

I - Une description

1. Quels sont les différents personnages présents ? Qui parle ?
2. L. 1-28, la description de la statue.
   a) Relevez les tournures négatives dans cette description.
   b) Pourquoi sont-elles importantes, mais aussi paradoxales, dans une description ?
   c) Quelle idée donnent-elles de la beauté de cette statue ?
3. Relevez les adjectifs qualificatifs dans la totalité de cet extrait et classez-les en quelques champs lexicaux.

II - Le début d'une histoire

1. Quels sentiments dominent le personnage ?

a) Faites un relevé des termes qui marquent son émotion.

b) Montrez par deux exemples au moins comment cette émotion se traduit physiquement

2. La férocité de la beauté

a) Identifiez les prolepses* présentes dans le passage. Quelle destinée annoncent-elles ?

b) Observez la description finale des yeux ; en quoi donne-t-elle un caractère infernal à cette statue ?

III - Une figure fatale

1. Le discours rapporté

a) Identifiez un passage au style direct

b) Identifiez un passage au style indirect

2. La citation de Racine

a) De quelle pièce célèbre de Racine M. de Peyrehorade cite-t-il une réplique ?

b) À quel personnage cette citation fait-elle référence ? Rappelez brièvement son histoire.

c) Quelle tonalité cela imprime-t-il au passage ? Quelle image de l'amour, en particulier, cela donne-t-il ?

Réécriture

« Si le modèle a jamais existé, dis-je à M. de Peyrehorade, [e]lle a dû se complaire à les faire mourir de désespoir. Il y a dans son expression quelque chose de féroce, et pourtant je n'ai jamais vu rien de si beau. » : récrivez au style indirect cet extrait de la réplique adressée par le narrateur à M. de Peyrehorade.

Recopiez le passage de « C'était bien une Vénus » à « d'aussi parfaits modèles » en opérant en même temps toutes les transformations suivantes :
– le récit sera fait au présent ;
– remplacez « l'exquise vérité des formes » par « les traits véritablement exquis » ;
– mettez « un chef-d'œuvre » au pluriel.

Rédaction

Décrivez une œuvre d'art qui représente une personne humaine (statue, portrait, photographie…) et dont la beauté vous a particulièrement touché. Associez les traits précis de votre description aux impressions que cette œuvre a provoquées sur vous.

Petite méthode pour la rédaction

La description rompt la narration pour **donner à voir** une personne, un objet, un paysage avec plus ou moins de détails. On peut s'intéresser aux **temps** qu'elle utilise (imparfait, ou présent lorsqu'elle vise à mettre l'objet sous les yeux du lecteur) ; à sa **construction** (elle peut être organisée par des indicateurs spatiaux, par la progression d'un regard, par l'effet de l'objet sur les différents sens, vue, ouïe, toucher…) ; au choix du **vocabulaire** (importance des expansions du nom, du lexique de la perception) ; à sa **fonction** (pause, présentation d'un personnage, annonce d'un événement, éloge, critique…).

Autres sujets d'entraînement

Sujet 1 : Charles Perrault, *La Belle au bois dormant*

Les temps

1. Observez les indications de durée. Classez-les selon quelques grandes catégories grammaticales.
2. Montrez que le texte juxtapose deux temporalités bien distinctes.

La merveille

3. Relevez quelques personnifications. Montrez qu'elles constituent des motifs merveilleux.

4. Comment qualifier les modalisations verbales ? En quoi constituent-elles un clin d'œil au genre même du conte merveilleux ?

De l'épouvante à l'ironie

5. À quel moment le registre merveilleux laisse-t-il place à celui de l'épouvante ?
6. Identifiez les passages au style indirect. Ils permettent au conteur de prendre position à l'égard des interprétations proposées par les villageois au Prince : laquelle ?
7. En quoi peut-on considérer ces interprétations comme un jeu avec la tradition des contes ?
8. Quelles expressions laissent percevoir le regard ironique posé par le conteur sur le Prince ?

Sujet 2 : Charles Baudelaire, *Les Fleurs du mal*, « La Beauté »

Une allégorie

1. La situation d'énonciation : Qui dit « je » ? Relevez les indices grammaticaux de sa féminité. À qui s'adresse-t-elle ?
2. Classez les éléments descriptifs en deux catégories : ceux qui identifient le « je » à une statue immobile, ceux qui font d'elle une femme vivante. De quoi Baudelaire fait-il l'allégorie ?

Une déesse fière et cruelle

3. Relevez les marques d'immobilité de la Beauté. À quel type d'esthétique font-elles référence ? Comment les interpréter ?
4. Qu'est-ce qui fait de la Beauté une déesse à part entière ? Dans quelle position « les poètes » sont-ils alors placés ?
5. La Beauté laisse-t-elle transparaître des émotions ? Identifiez les parallélismes syntaxiques accentuant son impassibilité.
6. Où s'exprime le mépris dans lequel la Beauté tient ses adorateurs ? Relevez les termes appartenant à ce champ lexical.

Comparaisons et métaphores

7. Relevez les comparaisons en montrant la variété des termes qui les introduisent ; de quelles réalités la Beauté est-elle successivement rapprochée ?
8. Comment comprenez-vous la métaphore finale des yeux comme « miroirs » ?
9. Où s'exprime la souffrance de la création ? Quelle image de l'effort poétique le texte donne-t-il ?

Sujet 3 : Théophile Gautier, « La Morte amoureuse », l. 1-27

La situation d'interlocution

1. Qui parle ? À qui ?
2. Quelle est sa situation actuelle ?

Les formes de la confession

3. De quel type de discours rapporté le narrateur use-t-il dans la première phrase ? En quoi cela oriente-t-il son récit ?
4. Observez les modalisations verbales ; classez-les selon leurs différents effets de sens.
5. Où le narrateur s'accuse-t-il ? Où se présente-t-il comme une victime ?
6. Comment se justifie-t-il ?
7. Énumérez l'ensemble des regards que le narrateur sent peser sur lui.

Une double vie

8. Observez les effets de symétrie dans la description des deux vies du narrateur. Montrez quelle part y prend la construction des phrases.
9. Où s'exprime l'échange du rêve et de la réalité ? Le narrateur semble-t-il entièrement revenu à une tranquillité intérieure ?

Outils de lecture

Allusion : figure de style qui consiste à s'exprimer sur quelque chose ou quelqu'un sans le nommer explicitement, mais par simple évocation.

Champ lexical : série de mots qui, dans un texte, se rapportent à une même réalité, une même idée, un même domaine de sens.

Comparaison : figure de style qui consiste à rapprocher une réalité (le comparé) d'une autre (le comparant) ; le rapprochement est explicite et se fait par l'intermédiaire d'un mot comparatif.

Connotation : signification seconde d'un mot ou d'une expression, qui s'ajoute à sa signification première, dans un contexte donné ; elle peut être d'ordre émotionnel, culturel ou idéologique, appréciative ou péjorative.

Confession : récit de soi où quelqu'un s'accuse et avoue ses fautes.

Conte : récit bref, qui est d'origine orale et se transmet collectivement dans l'histoire d'un peuple et d'une culture, ou qui présente des événements merveilleux.

Dénouement : fin d'une intrigue, où les aventures trouvent leur aboutissement, et les problèmes, une solution.

Distanciation : procédé qui consiste à produire un effet d'étrangeté par divers procédés de recul et de mise à distance ; c'est l'opposé de l'identification.

Épisode : division d'une œuvre, événement, péripétie d'un récit plus vaste.

Fantastique : genre ou tonalité, défini par l'intrusion brutale du mystère dans la vie réelle et par l'incertitude dans laquelle est plongé le lecteur.

Hyperbole : figure de style qui consiste à exprimer une réalité de façon exagérée et amplifiée.

Intrigue : assemblage des événements et des péripéties d'un récit, dont l'imbrication doit soutenir l'attention du lecteur et éveiller sa curiosité ; l'intrigue consiste en particulier à mener du « nœud » d'un ou plusieurs fils narratifs à un dénouement.

Ironie : forme d'expression détournée, qui consiste à faire comprendre ce que l'on pense en disant le contraire de ce que l'on pense.

Métaphore : figure qui désigne une chose par un mot qui en évoque une autre liée à la première par un rapport d'analogie.

Merveilleux : genre ou tonalité, caractérisé par un univers irréel, enchanté et féerique qui est présenté comme naturel.

Narrateur : celui qui raconte l'histoire ; ce peut être un personnage (récit à la première personne, « homodiégétique ») ou un être extérieur à l'histoire, plus ou moins présent (récit à la troisième personne, « hétérodiégétique »).

Nouvelle : récit bref et souvent réaliste, centré autour d'une seule péripétie.

Parodie : imitation moqueuse d'un genre ou d'un style.

Périphrase : figure de style par laquelle on remplace un mot par une expression plus longue, qui permet de le contourner.

Personnification : figure de style qui consiste à transformer une chose ou une abstraction en personnage animé.

Prolepse : procédé qui consiste à évoquer par avance un événement qui se déroulera ultérieurement dans le récit.

Protagoniste : personnage principal d'une action.

Registre : tonalité, nature de l'émotion qu'un texte communique au lecteur indépendamment de son genre (à ne pas confondre avec le « registre de langue » – soutenu, vulgaire, etc.).

Stéréotype : idée, expression ou représentation toute faite qui incarne une opinion générale, répandue et sans nuance au sujet d'une réalité.

Suspense : moyen par lequel un narrateur met en valeur une partie de son récit en créant pour le lecteur une attente anxieuse, un doute sur la suite du déroulement de l'histoire.

Sublime : registre ou tonalité, qui définit ce qui dépasse, par une beauté et une force extrêmes, la dimension de l'humain.

Tension narrative : procédé par lequel un narrateur resserre le mystère et accentue pour le lecteur l'impatience

Bibliographie et filmographie

Les œuvres de Théophile Gautier

Les Jeune-France (1833).

◗ Gautier surnommait cet ouvrage « Les *Précieuses ridicules* du romantisme » ; il y fait la satire des artistes et écrivains qui formaient le « Cénacle ».

Mademoiselle de Maupin (1835).

◗ Une femme se travestit en homme pour surprendre les secrets de ses amants, et parcourt le monde en quête d'aventures galantes ; c'est dans la préface de ce roman épistolaire que Gautier proclame l'indépendance de l'art.

La Comédie de la Mort et poésies diverses (1838).

◗ Dans ce recueil lyrique, chef-d'œuvre de sa période romantique, Gautier peint le spectre de la mort dans l'héritage de Dante et de Shakespeare.

Émaux et Camées (1852).

◗ Ce recueil de 37 poèmes virtuoses annonce l'esthétisme du mouvement « parnassien ».

Le Roman de la momie (1858).

◗ Roman fantastique archéologique, où un savant allemand découvre, dans une tombe égyptienne inviolée, la momie parfaitement conservée d'une belle jeune fille…

Le Capitaine Fracasse (1863).

◗ Situé dans la Gascogne du XVIIe siècle, ce roman de cape et d'épée pastiche le *Roman comique* de Scarron ; son style flamboyant a inspiré des adaptations cinématographiques (Abel Gance en 1943, Ettore Scola en 1991).

Tout au long de la vie de Gautier paraissent aussi des récits de voyages qui témoignent de sa curiosité pour la diversité du monde : *La Turquie* (1846) ; *Italia* (1852) ; *Constantinople* (1854) ; *Les Vosges* (1860) ; *Loin de Paris* (1864) ; *Quand on voyage* (1865) ; *Voyage en Russie* (1866).

Le fantastique en tous genres

La Princesse Brambilla, E.T.A. Hoffmann, 1820.

◗ Chef-d'œuvre du père du genre fantastique. Nerval trouvait en lui un « génie fraternel » ; Offenbach lui a consacré un opéra, *Les Contes d'Hoffmann*, en 1881 ; Tchaïkovski a fait de son *Casse-Noisette* un ballet en 1892.

La Vénus d'Ille, Prosper Mérimée, 1837.

◗ Cette nouvelle de l'auteur de *Carmen* est centrée autour d'une statue antique personnifiée par tous ceux qui la connaissent (« prends garde à toi si elle t'aime », prévient une inscription sur son socle), et qui finit par s'animer...

Le Corbeau, Edgar A. Poe, 1845.

◗ Ce poème raconte l'histoire d'un amoureux éperdu qui reçoit la visite inquiétante d'un corbeau répétant inlassablement : « Jamais plus ». Les contes et poèmes de Poe ont été traduits par Baudelaire et Mallarmé.

Le Horla et autres contes, Guy de Maupassant, 1887.

◗ Récits d'angoisse dont le fantastique, sans spectres ni châteaux, repose souvent sur la présence de la folie dans l'univers ordinaire. Dans le plus célèbre, « Le Horla », un personnage décrit sa persécution par un être invisible et finit par se suicider.

L'Appel de Cthulhu, Lovecraft, 1926.

◗ Le héros, plongé dans une ville engloutie, communique avec les hommes au travers des rêves. Lovecraft est le père de la littérature d'épouvante. Le romancier contemporain Michel Houellebecq lui a récemment consacré un livre : *H.P. Lovecraft. Contre le monde, contre la vie.*

Le Voyage en Italie, Roberto Rosselini, 1953.

◗ Dans ce film, un couple d'Anglais en crise se rend en Italie ; l'héroïne est transformée par la visite du musée archéologique de Naples, des grottes de la Sybille, du Vésuve... ; à Pompéi, le couple assiste au moment où les archéologues dégagent des ruines deux formes humaines enlacées, ce qui constituera pour eux une révélation.

The Shining, Stanley Kubrick, 1980.

◗ Ce film d'horreur est adapté d'un roman de Stephen King. Un écrivain se retire dans un hôtel isolé, avec sa femme et son fils, étrange enfant doué de télépathie. Il deviendra fou dans ce labyrinthe hanté par des événements morbides.

Crédits photographiques

Couverture	**Alain Boyer**
7	Ph. Coll. Archives Larbor
11	Bibliothèque nationale de France, Paris – Ph. Coll. Archives Larbor
18	Bibliothèque nationale de France, Paris – Ph. Coll. Archives Larbor
20	Columbus (Ohio), Colombus Museum of Art – © Archives Larbor
24	Bibliothèque-Musée de l'Opéra, Paris – Ph. Jeanbor © Archives Larbor
34	Musée Pouchkine, Moscou – © Archives Larbor
50	Musée du Louvre, Paris – Ph. Hubert Josse © Archives Larbor
82	Museo del Prado, Madrid – © Archives Larbor
90	Collection Thyssen-Bornemisza, Madrid © Archives Larbor
98	National Gallery of Scotland, Edimbourg – Ph. Tom Scott © Archives Larbor
107	Bibliothèque nationale de France, Paris – Ph. Coll. Archives Larousse
155	Ph. Coll. Archives Larbor
168	Musée Condé, Chantilly – Ph.© Harry Bréjat/RMN
169	Ph. © Akg © Man Trust, Adagp, Paris 2008
170	Ph. Coll. Archives Larbor
176	Bibliothèque nationale de France, Paris – Ph. Coll. Archives Larbor
177	Ph. © Bettmann/Corbis © Salvador Dali. Fondation Gala – Salvador Dali © Adagp, Paris 2008
178	Ph. Coll. Archives Larbor

Direction de la collection : Carine GIRAC-MARINIER
Direction éditoriale : Claude NIMMO
Édition : Marie-Hélène CHRISTENSEN
Lecture-correction : service lecture-correction LAROUSSE
Recherche iconographique : Valérie PERRIN, Marie-Annick REVEILLON
Direction artistique : Uli MEINDL
Couverture et maquette intérieure : Serge CORTESI, Sylvie SÉNÉCHAL, Uli MEINDL
Responsable de fabrication : Marlène DELBEKEN

Photocomposition : CGI
Impression : Rotolito S.p.A. (Italie)
Dépôt légal : Janvier 2008 – 301486/09
N° Projet : 11048112 – Septembre 2021